O que a Bíblia fala sobre oração

O que a Bíblia fala sobre oração

AUGUSTUS NICODEMUS

MUNDO CRISTÃO

Copyright © 2022 por Augustus Nicodemus

Os textos bíblicos foram extraídos da *Nova Versão Transformadora* (NVT), da Tyndale House Foundation, salvo as seguintes indicações: *Almeida Revista e Atualizada*, 2ª edição (RA), *Nova Tradução na Linguagem de Hoje* (NTLH) e *Nova Almeida Atualizada* (NAA), da Sociedade Bíblica do Brasil; e *Nova Versão Internacional* (NVI), da Bíblica Internacional.

Todos os direitos reservados e protegidos pela Lei 9.610, de 19/02/1998.

É expressamente proibida a reprodução total ou parcial deste livro, por quaisquer meios (eletrônicos, mecânicos, fotográficos, gravação e outros), sem prévia autorização, por escrito, da editora.

Edição
Silvia Justino

Preparação
Daniel Faria

Revisão
Natália Custódio

Produção
Felipe Marques

Diagramação
Marina Timm

Colaboração
Ana Luiza Ferreira

Capa
Douglas Lucas

CIP-Brasil. Catalogação na publicação
Sindicato Nacional dos Editores de Livros, RJ

N537q

    Nicodemus, Augustus-
    O que a bíblia fala sobre oração / Augustus Nicodemus. - 1. ed. - São Paulo: Mundo Cristão, 2022.
    128 p.

    ISBN 978-65-5988-092-8

    1. Bíblia - Uso devocional. 2. Orações. I. Título.

22-76735   CDD: 242.5
                                      CDU: 27-534.3

Meri Gleice Rodrigues de Souza - Bibliotecária - CRB-7/6439

Categoria: Oração
1ª edição: maio de 2022
1ª reimpressão: 2024

Publicado no Brasil com todos os direitos reservados por:
Editora Mundo Cristão
Rua Antônio Carlos Tacconi, 69
São Paulo, SP, Brasil
CEP 04810-020
Telefone: (11) 2127-4147
www.mundocristao.com.br

Sumário

1. O que é orar — 7
2. Orar em nome de Jesus — 14
3. O dever de orar sempre — 21
4. Orar em todo tempo — 27
5. Por que orar se Deus já sabe — 33
6. Orando no Espírito — 40
7. Jejum e oração — 46
8. Tipos de oração — 53
9. Orando pelas autoridades — 60
10. A oração e as Escrituras — 67
11. A Oração do Pai-Nosso — 75
12. Mundanismo e oração — 84
13. Oração e batalha espiritual — 92
14. A oração de fé — 100
15. As promessas de Deus — 107
16. Orações imprecatórias — 114
17. Por que Deus às vezes diz "não" — 121

1
O que é orar

Orar é provavelmente a experiência mais complexa da vida cristã, ainda que, em si, seja algo relativamente simples. Não é sem motivo que os discípulos de Jesus lhe pediram que os ensinasse a orar (Lc 11.1). Nenhuma outra atividade espiritual, na Bíblia, é alvo de tanta atenção, ensinamentos e exortações como a oração.

A fonte para o entendimento da oração e como deve ser praticada são, portanto, as Escrituras do Antigo e do Novo Testamento. No entanto, temos também um instinto natural que nos leva a clamar a Deus e a buscá-lo em momentos de intensa angústia e necessidade. Esse instinto natural é decorrente da imagem de Deus em nós (Gn 1.26-27). A queda de Adão não obliterou nem apagou essa imagem (Tg 3.9), apesar de tê-la danificado tão seriamente a ponto de dificultar o reconhecimento dos traços de nosso Criador nos seres humanos. Entretanto, pela misericórdia de Deus, o reflexo de sua glória ainda permanece na humanidade, o que leva todo ser humano a reconhecer a existência de um ser superior e a ele recorrer diante dos perigos.

Contudo, não saberíamos orar de modo agradável a Deus se ele não o tivesse revelado em sua Palavra escrita. É nela que encontramos as respostas sobre quem somos, quem é o verdadeiro Deus e como podemos falar com ele, e por isso somente os que recebem as Escrituras como a revelação inspirada e autoritativa de Deus podem oferecer orações que o agradem.

Por instinto natural, sem o guia da revelação escrita, as pessoas se desviam da verdade, criam para si falsos deuses e religiões cujas orações não se dirigem ao verdadeiro Deus, nem são motivadas e realizadas de forma aceitável para ele (Pv 21.27; 28.9).

Mas, então, o que é orar?

A Bíblia menciona homens e mulheres de Deus que a ele clamavam nos momentos de necessidade, e ele lhes respondia (2Cr 14.11-12), que elevavam a voz ao céu, em gratidão e reconhecimento, nos momentos de alegria e vitória (1Cr 29.10), que intercediam diante do Senhor em prol da libertação daqueles que sofriam ou passavam por necessidades (1Sm 7.9), que, ao cair em pecado, buscavam a Deus em confissão clamando por perdão (Sl 51). Podemos dizer que orar é o sinal do verdadeiro crente, daquele que realmente acredita que Deus existe e recompensa quem o busca (Hb 11.6).

Ao analisar exemplos bíblicos de admoestação e encorajamento à oração, descobrimos que orar nada mais é que falar com Deus. Essa é a essência do ato de orar. Oramos quando elevamos o coração e a mente à presença de Deus, e ali, diante dele, expomos nossas necessidades, oferecemos nossa gratidão, declaramos seu louvor, suplicamos pelos outros e o adoramos do mais profundo de nosso ser. Um bom exemplo disso é Moisés, que de acordo com as Escrituras falava com Deus como um homem fala com seu amigo (Êx 33.11).

Deus continua acessível para seu povo hoje, para que o busquemos não na esperança de sua manifestação visível ou audível, mas pela fé, crendo que ele existe, ouve e nos atende, ainda que não o vejamos nem ouçamos com os sentidos naturais.

Vejamos algumas questões que contribuem para que o ato de orar nos pareça tão difícil.

Deus é invisível. A essa definição aparentemente simples estão relacionadas muitas circunstâncias que tornam a oração algo um tanto complicado. O fato de não vê-lo, ouvi-lo ou mesmo tocá-lo torna mais difícil a relação com Deus por parecer, às vezes, que falamos sozinhos (1Tm 6.16)![1]

Deus é onisciente e onipotente. Ao orar, não nos dirigimos a outro ser humano, mas ao Senhor Deus, criador dos céus e da terra, nosso redentor, o Deus trino, todo-poderoso, que conhece todas as coisas, incluindo nossas necessidades e as palavras que usaremos para descrevê-las (Mt 6.8). Ele conhece nossa motivação, o mais profundo de nosso coração, um conhecimento que nem sequer nós mesmos temos a nosso respeito (Jr 17.9). Portanto, ainda que possamos definir a oração como um simples "falar com Deus", o fato de que nosso interlocutor é o Senhor torna mais complexo o ato de orar. Ao contrário do que é possível fazer quando falamos com as pessoas, não podemos ocultar dele nossas verdadeiras intenções, nem lhe contar apenas o que entendemos ser apropriado. Controlamos a conversa com as pessoas porque sabemos que elas são incapazes de conhecer nossa mente e nosso coração, e isso nos faz sentir seguros. Além disso, sabemos que ninguém é capaz de resolver nossos problemas, e que por mais que tenhamos alguém na mais alta confiança não depositamos nossa vida em suas mãos.

Somos pecadores. Como fruto de nossa natureza carnal, resistimos a esse contato direto com o Deus verdadeiro. Embora tenhamos nascido de novo e, portanto, adquirido uma

---

[1] Várias passagens da Bíblia que mencionam pessoas que viram a Deus referem-se, na verdade, a teofanias ou manifestações de Deus, de modo que ele pudesse ser visto pelo ser humano. Deus, porém, em sua essência, jamais foi visto. Ele não pode ser visto. Hoje, por já não haver teofanias, nos relacionamos com ele pela fé.

natureza espiritual, o remanescente do pecado permanece em nós. Na maior parte das vezes, temos de nos disciplinar para manter uma vida de oração consistente e frutífera, pois somos interrompidos por muitas distrações e divagações da mente (Gl 5.16-18).

Para vencer essas dificuldades é preciso reconhecê-las. A Bíblia nos ensina amplamente como nossas orações devem ser feitas de maneira que agradem ao Senhor. Resumidamente, a oração deve ser feita em nome de Jesus Cristo. É um dever de todos os cristãos engajar-se nela diariamente, quer em privado quer em público. Devemos orar em todo tempo e cultivar um espírito de oração, uma mentalidade espiritual pela qual mantemos comunhão constante com nosso Salvador.

Mesmo que Deus já saiba todas as coisas, o que inclui nossas necessidades e o futuro, e que já tenha decretado tudo o que acontece, somos exortados a falar com ele e suplicar-lhe para que atenda nossos pedidos. Mas não estamos sozinhos: o Espírito de Deus nos ajuda nessa tarefa, uma vez que não sabemos orar como convém (Rm 8.26).

A Bíblia também ensina que o jejum nos ajuda a orar em tempos especiais e de necessidade, e que podemos oferecer a Deus vários tipos de oração: súplica, confissão, pedido, agradecimento, louvor, adoração, intercessão uns pelos outros, pela conversão de pecadores e pelas autoridades constituídas.

Quando os discípulos pediram ao Senhor Jesus que os ensinasse a orar, ele ofereceu um modelo de oração que ficou conhecido como o Pai-Nosso, e esse modelo deixa claro pelo que devemos orar.

A Bíblia também nos explica por que Deus nem sempre responde a nossas orações. Para atendê-las, além de termos de fazê-las com fé, o objeto de nossa oração precisa estar de acordo com sua vontade soberana. Pecados não confessados e tratados também podem ser empecilhos. O livro de Salmos é um exemplo claro de oração. Os crentes da antiga aliança oravam, clamavam, confessavam, adoravam, agradeciam, lamentavam e intercediam, com o coração cheio de fé, de dúvidas, de arrependimento, de ansiedade, de temores e de profunda confiança. Provavelmente nada nos inspira mais a orar do que as orações dos salmistas!

A Bíblia traz essas instruções acerca da oração para que não oremos em vão e para mostrar-nos que, embora a oração seja algo tão simples como "falar com Deus", o ato em si pode se tornar bastante complexo, se considerarmos nossa pecaminosidade. Por isso é necessário que a igreja estude sobre o assunto e que seus líderes encorajem constantemente os crentes a viverem uma vida significativa de oração.

A necessidade de estudar sobre a oração aceitável a Deus se torna ainda mais urgente se considerarmos a atual situação da igreja evangélica brasileira. De um lado, temos os abusos cometidos por muitas igrejas pentecostais e neopentecostais com respeito à oração, transformada em uma chave para abrir os tesouros materiais. A "oração de fé" é usada por alguns desses pastores para reafirmar sua autoridade, uma vez que se consideram os únicos com fé suficiente para ter a oração atendida. Em sua visão, orar em línguas, "no monte" ou no Muro das Lamentações, em Israel, é mais eficaz. A oração é também usada para determinar bênçãos e para falar com demônios e repreendê-los.

Na perspectiva de tais líderes, a oração se tornou uma arma na guerra espiritual contra Satanás e seus demônios, chamada de "oração de guerra", pela qual os supostos guerreiros entram em conflito direto com os demônios. Aquilo que é ensinado na Bíblia como um simples ato de relacionamento inteligível e espiritual com Deus é transformado em um ato mágico, um talismã místico nas mãos de uma liderança supostamente mais espiritualizada e de maior fé, privando os crentes da simplicidade e da confiança de, por si mesmos, terem profunda e rica comunhão com o Senhor.

De outro lado, temos a influência do catolicismo romano, que transformou a oração em reza, o Pai-Nosso em vãs repetições, e elevou Maria e os santos a uma categoria especial, a quem as orações devem ser dirigidas. O catolicismo teve sobre a mentalidade brasileira uma profunda influência, da qual nem sempre os evangélicos conseguem livrar-se. Não poucos confundem perseverança na oração com repetições vãs diante de Deus. Outros veem o pastor como um sacerdote capaz de intermediar seus pedidos para Deus.

Por fim, embora evidentemente existam exceções, uma das características das igrejas evangélicas tradicionais — como as presbiterianas, batistas, congregacionais, entre outras — é a falta de oração. Não me refiro apenas ao reconhecido esvaziamento das reuniões de oração, mas à carência de uma vida intensa de oração, limitada, não raro com falhas, aos momentos que antecedem as refeições, ao acordar e ao dormir. O cenário nas igrejas reformadas não é diferente. Orações públicas nos cultos reformados são feitas sem fervor nem intensidade, como se apenas se estivesse informando Deus dos pecados e das necessidades da congregação.

É difícil avaliar qual é o pecado mais sério e danoso: usar a oração de maneira errada e distorcida ou negligenciá-la. Ambos os casos devem ser evitados, e para tanto as igrejas precisam não apenas estudar o que a Bíblia ensina sobre oração como também exortar e encorajar os crentes a orarem mais e melhor, a buscarem mais ocasiões em que possam falar com Deus e diante dele trazer suas ansiedades, adorá-lo, interceder pelos outros e agradecer-lhe as bênçãos recebidas.

Para refletir

1. Por que oramos tão pouco? Por que nossas orações são tão frias? Por que elas não são respondidas?
2. Você já procurou estudar sobre oração na Bíblia? Que efeito teve em sua vida?
3. Qual foi a última vez que você participou de uma reunião de oração?

2
Orar em nome de Jesus

Um dos mais importantes ensinos na Bíblia sobre oração — se não o mais importante — é que ela deve ser feita em nome de Jesus. Entre as muitas coisas que o Senhor ensinou a seus discípulos estava a oração, e que ela não deveria seguir o padrão dos fariseus nem dos pagãos (Mt 6.5-8). Jesus não só lhes deu um modelo de oração, o Pai-Nosso (Mt 6.9-15), como também os encorajou a orar e a esperar respostas da parte de Deus, que cuida de seus filhos assim como faz um pai terreno (Mt 7.7-11). Mostrou-lhes, ainda, a importância de orar sempre sem nunca desfalecer (Lc 18.1-8), dando ele próprio o exemplo com uma vida marcada pela oração (Mc 1.35; 14.35; Lc 5.16; 9.29).

De todas as orientações do Senhor Jesus, a que mais refletiu sua encarnação, morte, ressurreição e a inauguração do reino de Deus foi que seus discípulos agora deveriam orar no nome dele. Todas as demais orientações já faziam parte da vida de oração de qualquer judeu piedoso e temente a Deus. E os discípulos eram judeus tementes a Deus. Contudo, Jesus disse: "Vocês nunca pediram desse modo. Peçam em meu nome e receberão" (Jo 16.24).

Jesus não estava dizendo que as orações feitas pelos discípulos e pelos crentes do Antigo Testamento, como Abraão e Davi, não foram válidas nem aceitas por Deus, já que não haviam sido feitas em nome de Jesus. Na realidade, elas foram feitas na consciência de que o acesso a Deus só era possível mediante a fé no Messias que haveria de vir, prefigurado nos sacrifícios e na mediação dos sacerdotes que os ofereciam. Agora, porém, o nome do Messias havia sido revelado: Jesus Cristo. E o Senhor desejava que seus discípulos orassem no nome dele, como expressão da fé em que ele, Jesus de Nazaré, era o Messias esperado por Israel, aquele por meio de quem as orações sempre haviam sido aceitas, ainda que seu nome não tivesse sido revelado até então. Portanto, Deus não estava mudando as bases de escuta das orações dos crentes do Antigo Testamento nem de seu atendimento. Não se tratava disso. Ele estava apenas explicitando essa base: o nome do Messias por meio de quem as orações foram aceitas.

O Evangelho de João registra as três ocasiões em que Jesus deu essa orientação:

> Vocês podem pedir qualquer coisa *em meu nome*, e eu o farei, para que o Filho glorifique o Pai. Sim, peçam qualquer coisa *em meu nome*, e eu o farei!
>
> João 14.13-14

> Vocês não me escolheram; eu os escolhi. Eu os chamei para irem e produzirem frutos duradouros, para que o Pai lhes dê tudo que pedirem *em meu nome*.
>
> João 15.16

> Naquele dia, não terão necessidade de me perguntar coisa alguma. Eu lhes digo a verdade: vocês pedirão diretamente ao Pai e ele atenderá, porque pediram *em meu nome*. Vocês nunca pediram desse modo. Peçam *em meu nome* e receberão, e terão alegria completa.
>
> João 16.23-24

O que, então, significa orar em nome de Jesus?

Na cultura hebraica, bem como em outras culturas antigas, o nome representava a pessoa, seu caráter, espírito e poder.

O nome era levado muito a sério, daí os judeus, num zelo desnecessário, não pronunciarem o nome de Deus, *Yahweh*. Receavam tomá-lo em vão. O nome de Jesus, portanto, representa a própria pessoa de Jesus e tudo a ele associado. Seu nome estava conectado com a missão que veio realizar no mundo, com o cumprimento das promessas feitas por Deus ao povo de Israel: "... e você lhe dará o nome de Jesus, pois ele *salvará* seu povo dos seus pecados" (Mt 1.21). Jesus é a tradução para o grego do nome hebraico *Yeshua*, que significa "*Yahweh* é salvação" ou "*Yahweh* salva".

Para orar em nome de Jesus, é necessário ter fé em que ele é o Messias enviado por Deus ao mundo para salvar-nos de nossos pecados. Orar em seu nome sem fé não produz nenhum efeito. Em certa ocasião, em Éfeso, sete exorcistas ambulantes, vendo que em nome de Jesus o apóstolo Paulo expelia demônios, tentaram imitá-lo: "Ordeno que saia em nome de Jesus, a quem Paulo anuncia!" (At 19.13). Esta foi a resposta do espírito maligno que se havia apossado do endemoninhado: "Eu conheço Jesus e conheço Paulo, mas quem são vocês?" (At 19.15). E dominou os sete homens com violência. Aqueles exorcistas sabiam usar o nome de Jesus, mas não conheciam a Jesus, não criam nele.

Há uma razão para que Deus honre o nome de seu Filho, mesmo quando usado por descrentes. Leia o que Jesus disse a seus discípulos na conclusão do Sermão do Monte:

> Nem todos que me chamam: "Senhor! Senhor!" entrarão no reino dos céus, mas apenas aqueles que, de fato, fazem a vontade de meu Pai, que está no céu.
>
> No dia do juízo, muitos me dirão: "Senhor! Senhor! Não profetizamos em teu nome, não expulsamos demônios em teu nome e não realizamos muitos milagres em teu nome?".

Eu, porém, responderei: "Nunca os conheci. Afastem-se de mim, vocês que desobedecem à lei!".

Mateus 7.21-23

Perceba que Jesus não contestou a realidade dos sinais e prodígios realizados pelos ímpios em seu nome. Eles serão condenados por não conhecerem a Cristo, não por terem realizados sinais. Com isso Jesus estava querendo enfatizar que os verdadeiros crentes são aqueles que andam em santidade de vida, e que, mesmo fazendo sinais em nome de Jesus, os ímpios serão condenados. Fica claro, portanto, que a expressão "em nome de Jesus" não é uma fórmula mágica, como o famoso "abre-te, sésamo", usado por Ali Babá e os quarenta ladrões para entrarem na caverna do tesouro. Não é um talismã, usado para realizar os desejos de quem o usa, como a lâmpada mágica de Aladim.

Apesar disso, mesmo entre os evangélicos, o nome de Jesus é usado erroneamente nas orações quando a expressão é repetida insistentemente ou em alta voz, como se isso fosse dar poder à oração e convencer Deus a aceitá-la. Não poucos evangélicos pensam que o nome de Jesus é a chave para abrir qualquer porta, resolver qualquer problema e remover qualquer dificuldade, e invocam o nome do Senhor mesmo que sua vida não esteja de acordo com a santa vontade dele.

O segredo não é o *nome* de Jesus, mas a sua própria *pessoa*. Confiamos em Cristo, e não na simples declaração de seu nome.

Orar em nome de Jesus compreende vários aspectos, abrange dimensões espirituais variadas, das quais nem sempre estamos conscientes no ato da oração. Vejamos algumas delas a fim de orarmos mais e melhor.

Primeiro, orar em nome de Jesus significa estar conscientes de quem ele é e do que ele fez e faz. Para invocar o nome do

Senhor em oração, precisamos saber que ele é o Filho de Deus, o Salvador do mundo, que morreu por nossos pecados, que ressuscitou para nossa redenção, que está assentado à direita de Deus e que intercede por nós. Mas não basta ter conhecimento dessas coisas, como ocorreu com os exorcistas ambulantes de Éfeso (At 19.13); é preciso crer nelas. Temos de ter confiança plena de que Jesus é aquele que a Bíblia diz que é.

Segundo, orar em nome de Jesus significa fazê-lo sob sua autoridade e submissos a sua vontade, como o Senhor de tudo e de todos. "Deus o elevou ao lugar de mais alta honra e lhe deu o nome que está acima de todos os nomes, para que, ao nome de Jesus, todo joelho se dobre, nos céus, na terra e debaixo da terra, e toda língua declare que Jesus Cristo é Senhor, para a glória de Deus, o Pai" (Fp 2.9-11).

Não adianta orar em nome de Jesus se não estamos submissos a ele, nem dispostos a aceitar sua vontade como a melhor resposta a nossas orações. Não poucos querem manipular Deus, usando o nome de Jesus, para satisfazer os próprios desejos e vontades. Outros chegam ao ponto de "determinar" que as coisas aconteçam, usando o nome de Jesus. Contudo, como vimos, orar em nome de Jesus é orar submisso à autoridade de seu nome, que está acima de todo nome, inclusive do nosso, aceitando sua resposta, independentemente de qual seja.

Terceiro, orar em nome de Jesus significa usar seus méritos como base e argumento para nossas petições diante de nosso Deus e Pai, tendo Jesus como nosso mediador e intercessor. Para isso, contudo, é preciso reconhecer nossa dependência de Cristo, único meio de termos acesso a Deus, e ter consciência de nossos pecados e da justiça de Deus ao disciplinar-nos ou negar-nos pedidos e favores. De Deus só merecemos juízo e castigo, e no entanto, por meio de Cristo, que na cruz sofreu por nós e pagou nossa culpa, podemos ter acesso ao Pai, que nos recebe favoravelmente: "Agora, portanto, já não há nenhuma condenação para os que estão em Cristo Jesus" (Rm 8.1). E também: "Portanto, uma vez que pela fé fomos declarados justos, temos paz com Deus por causa daquilo que Jesus Cristo, nosso Senhor, fez por nós" (Rm 5.1). A mediação de Cristo nos garante acesso à presença de Deus e a certeza de seu favor.

Deus jamais responderá a orações feitas com base em méritos humanos. Orações como "Deus, eu mereço que o Senhor me atenda" jamais prevalecerão diante dele. Tampouco ele aceitará orações feitas pela mediação de santos, de Maria ou de qualquer outro nome. Somente Jesus Cristo é mediador entre os homens e Deus:

> Há um só Deus e um só mediador entre Deus e a humanidade: o homem Cristo Jesus.
>
> 1Timóteo 2.5

> Por isso ele é o mediador da nova aliança.
>
> Hebreus 9.15

> Não há salvação em nenhum outro! Não há nenhum outro nome debaixo do céu, em toda a humanidade, por meio do qual devamos ser salvos.
>
> Atos 4.12

É nesse sentido que Jesus é nosso intercessor, que medeia os nossos pedidos ao Pai (Rm 8.34; 1Jo 2.1). Orar em nome dele é confiar exclusivamente nele para chegarmos à presença de Deus, e ali depositarmos pedidos e louvores. Quão grande é o amor do Pai por nós em dar-nos um mediador tão perfeito, para que pudéssemos alcançar o trono da graça!

Em suma, orar em nome de Jesus não significa simplesmente acrescentar a fórmula "em nome de Jesus" ao final de nossas orações, mas sim tomar uma atitude em relação a Jesus, ou seja, viver na dependência dele e confiar no poder de sua mediação. Nesse sentido é que as orações poderão ser feitas verdadeiramente em nome de Jesus, incluamos ou não no final a expressão tão conhecida.

O Senhor Jesus ensinou os discípulos a orarem no nome dele e encorajou-os com a promessa de que atenderia as orações assim feitas (Jo 14.13-14; 16.23-24). Ter respondidas as orações em nome de Jesus seria uma poderosa confirmação de que ele era realmente o Filho de Deus, o Salvador do mundo, trazendo grande alegria aos discípulos e glória ao Senhor. Isso, porém, não significa que todas as coisas que pedirmos orando em nome de Jesus sairão exatamente como queremos. Existem outros parâmetros usados por Deus para nos atender. Por ora, o que precisamos é reconhecer que não há nada mais fundamental para a vida de oração do crente que aprender o que significa orar, realmente, em nome de Jesus.

Para refletir

1. Qual é a base de sua confiança quando se dirige a Deus em oração?
2. Que argumentos costuma usar diante de Deus para que ele o atenda?
3. Saber que Cristo é o fiador de suas orações tem estimulado você a orar mais e com maior confiança?
4. Por que, mesmo sabendo que Cristo prometeu responder às orações em seu nome, nossa vida de oração é por vezes tão fria, fraca e inconstante?

3
O dever de orar sempre

O clássico *O peregrino*, de John Bunyan, traz em suas narrativas a luta entre Cristão e Apoliom, que representam o crente e o diabo, respectivamente. Cristão apresenta uma arma que pode vencer a batalha e decidir o resultado do conflito. Essa arma é a oração. Bunyan sabia, na prática, que nada tem tanto poder contra as hostes das trevas quanto a oração.

Muitas passagens da Bíblia afirmam que orar sempre é dever de todo cristão. E há várias razões para isso. Para este capítulo, tomaremos como base Efésios 6.18, em que Paulo determina aos crentes de Éfeso que orem sem cessar como parte da armadura de Deus (Ef 6.10-20).

Em primeiro lugar, orar é sempre uma ordem de Deus. Essa é a razão principal e primeira. Na carta aos efésios, o apóstolo orienta a igreja a tomar sobre si toda a armadura de Deus, e para isso faz uso de vários verbos no imperativo:

- *Vistam* toda a armadura de Deus (6.11,13)
- *Mantenham* sua posição (6.14)
- Como calçados, *usem* a paz das boas-novas (6.15)
- *Levantem* o escudo da fé (6.16)
- *Usem* a salvação como capacete e *empunhem* a espada do Espírito (6.17)
- *Orem* no Espírito em todos os momentos e ocasiões (6.18)

Há dezenas de outras passagens na Bíblia em que Deus diretamente ordena a seus filhos e filhas que o busquem em oração (1Ts 5.17) ou que apresentam exemplos de pessoas que oravam sempre, como Daniel, que orava três vezes ao dia (Dn 6.10), ou o próprio Jesus, que sempre buscava ocasião para orar ao Pai (Mc 1.35; Lc 5.16).

A Bíblia também narra histórias em que Deus atendeu a quem o buscou: Moisés, que intercedeu por Israel (Êx 32.32); Isaque, que orou por Rebeca (Gn 25.21); o povo de Israel, quando cativo pelos inimigos (Jz 6.6-7); e a igreja, que orou pela libertação de Pedro (At 12.5).

No livro de Salmos, especialmente nos salmos de penitência e de romagem, encontramos orações dos santos de Israel buscando a Deus em suas angústias (ver, p. ex., Sl 130.1). O dever de orar sempre também aparece nas parábolas de Jesus, como a da viúva que importunava um juiz (Lc 18.1-8) ou a dos dois homens que subiram ao templo para orar (Lc 18.9-14).

As Escrituras não deixam qualquer dúvida de que orar é uma determinação de Deus para seus filhos. Mas voltemos a Efésios 6, em que Paulo nos orienta sobre a oração como armadura de Deus. No versículo 18, orar não é uma *peça* da armadura, mas o *meio* pelo qual a armadura é colocada, funciona e é usada. Podemos dizer que é o óleo que a lubrifica, o poder que a dinamiza, o fôlego que lhe dá vida. Orar é algo que devemos fazer continuamente na vida cristã. É como o respirar.

Sem oração, por exemplo, a ortodoxia em si mesma é insuficiente. Paulo diz que temos de colocar "o cinto da verdade e a couraça da justiça" (6.14) e usar " a salvação como capacete" (6.17), mas orando "no Espírito em todos os momentos e ocasiões" (6.18). Ou seja, devemos fazer todas essas coisas orando. Se não houver oração, não bastará observar corretamente as doutrinas. Pela oração, as doutrinas se tornam eficazes em nossa vida e, pela pregação e pelo testemunho, elas se tornam eficazes na vida dos outros. É interessante observar que, mais tarde, quando nosso Senhor Jesus manda uma mensagem para a igreja de Éfeso, adverte-a de ser uma igreja ortodoxa que havia perdido o primeiro amor (Ap 2.4). Igrejas podem ser ortodoxas e mortas espiritualmente, e uma das causas é a falta de oração.

De igual modo, sem oração, nossas atividades cristãs são infrutíferas. Paulo diz que "como calçados" devemos usar "a paz das boas-novas" (Ef 6.15), isto é, evangelizar as pessoas, pregando a paz, e fazê-lo orando "no Espírito em todos os momentos e ocasiões" (6.18). É pela oração que o Espírito de Deus usará o evangelho para trazer paz entre Deus e o pecador. Do contrário, nossos esforços evangelísticos serão mero ativismo e cumprimento de agenda, assim como nossa pregação e estudos serão mera transmissão de conhecimento, sem poder salvífico e transformador.

Também sem oração, a confiança em Deus e no Senhor Jesus Cristo é falsa. Temos de levantar "sempre o escudo da fé" para enfrentar o diabo e seus demônios (6.16), mas novamente orando "no Espírito em todos os momentos e ocasiões" (6.18). É pela oração que nossa fé na vitória de Cristo se fortalece e somos capazes de resistir às acusações do diabo. Sem oração, nossa fé murcha e desfalece diante das tentações de Satanás e suas acusações. Aqueles que têm uma vida constante de oração são os que mais confiam no Senhor, e pela fé cumprem a sua vontade.

Por fim, sem oração, até o estudo e o conhecimento da Bíblia são insuficientes. Temos de usar "a salvação como capacete" e empunhar "a espada do Espírito, que é a palavra de Deus" (6.17), isto é, as Escrituras sagradas são nossa arma de ataque e defesa contra as forças do mal, e isso orando "no Espírito em todos os momentos e ocasiões" (6.18). Podemos empunhar a espada do Espírito, em oração:

1. Conhecendo, memorizando e aplicando a Palavra de Deus. "Orar as Escrituras" é uma das maneiras mais eficazes de apropriar-nos de seu significado e experimentar seu poder.
2. Buscando entender o significado da Palavra. Pela oração, o Espírito de Deus nos concede iluminação para entender, de modo salvífico e transformador, o sentido do texto bíblico.
3. Tornando eficaz nossa pregação e nosso testemunho. Não basta estudar e preparar boas aulas e sermões. Eles têm de ser regados com nossas orações.

O Espírito usará a Palavra para nos fortalecer, edificar, instruir, corrigir, consolar. Ou seja, é pela oração que todas as áreas de nossa vida, como indivíduos e como igreja, funcionam bem e são eficazes.

Também precisamos da armadura de Deus para conhecer a natureza de nossos inimigos e resistir-lhes. No mesmo capítulo 6 de Efésios, o apóstolo Paulo descreve os verdadeiros inimigos da igreja de Cristo, que não são as pessoas — os incrédulos ou os soldados que o mantinham prisioneiro em Roma, e nem mesmo o imperador (6.12) —, mas seres espirituais mais poderosos que os humanos. Paulo se refere ao diabo (6.11), também conhecido como o maligno (6.16). O diabo e seus demônios são chamados de governantes e autoridades do mundo invisível, os dominadores deste mundo de trevas, os espíritos malignos (6.12). O diabo usa estratégias (6.11) e flechas de fogo (6.16).

Por isso precisamos nos vestir da armadura de Deus, que é o mesmo que nos revestir de Cristo e daquilo que ele conquistou para seu povo em sua morte e ressurreição (6.10-11). É somente com essa armadura que podemos resistir aos ataques do diabo e de seus demônios (6.13). E essa armadura é vestida e empunhada mediante a oração (6.18), quando buscamos o Senhor humildemente, reconhecendo nossa fraqueza e suplicando que ele nos fortaleça em Cristo para resistirmos a Satanás. Por isso a oração é um dever. Sem ela não temos como enfrentar esses inimigos espirituais, essas forças do mal.

Deus também determinou a oração como um meio de nos abençoar e conceder vitória. Paulo reconhece esse princípio ao pedir aos efésios que orem por sua pregação (Ef 6.19-20). Na verdade, Deus não precisa de nossas orações para realizar sua vontade e seus planos, nem para derrotar o diabo e seus anjos. Ele pode agir e operar mesmo quando não pedimos. Contudo, ele determinou a oração como meio, como causa secundária, através da qual ele age e opera neste mundo. E isso por vários motivos. Primeiro, porque é de seu agrado que seu povo dependa dele e o busque. O Senhor se alegra em responder e atender a seu povo. Segundo, por enfatizar nosso senso de dependência de Deus, a oração nos prepara para receber o que pedimos. Terceiro, a oração destaca o valor do que queremos e pedimos, e desperta em nós desejos ardentes de receber aquilo de que necessitamos. Quarto, a oração nos conscientiza do poder e da majestade de Deus, a quem nos dirigimos como um filho a seu pai, do qual depende totalmente. É nesse sentido também que Deus nos encoraja a pedir sempre (Mt 7.7-11).

Deus, contudo, não tem a menor obrigação de atender nossos pedidos e súplicas. Somos pecadores, criaturas indignas até mesmo das menores de suas misericórdias. Merecemos somente a sua ira justa sobre nós. Na verdade, deveríamos ser esmagados por esses inimigos poderosos que Paulo menciona, o diabo e seus demônios. Mas Jesus Cristo morreu e ressuscitou por nós. Ele triunfou sobre os espíritos malignos e seu mundo de trevas. Em Cristo, fomos justificados, perdoados e aceitos pelo Pai. Por meio de Cristo, nossas orações agora chegam a Deus, e é por isso que oramos em nome de Jesus. Quanto mais oramos, mais a pessoa e a obra do Senhor Jesus são magnificadas e exaltadas, mais ele recebe a glória por orações respondidas.

Para refletir

1. Você está disposto a tomar a decisão de dedicar-se diariamente a orar ao Senhor?
2. Você reconhece que orar é um dever, e que as razões apresentadas na Bíblia são justas e visam o seu bem?
3. Você confia na ajuda do Espírito de Deus para orar?

4
Orar em todo tempo

Depois de falar sobre a origem, os privilégios e os deveres da igreja, em Efésios 6 o apóstolo Paulo determina que os crentes se preparem para a batalha espiritual contra os poderes demoníacos colocando a armadura de Deus, o que teriam de fazer orando "em todo tempo" (Ef 6.18, NAA). Vejamos, então, o que isso significa.

Já de saída destacamos a importância desse assunto. Se estamos envolvidos em um conflito espiritual com as forças invisíveis do mal, é certo que dependemos de nosso Senhor Jesus Cristo para sobreviver e vencer. Como essa luta é diária, devemos estar sempre em oração, buscando no Senhor forças para o combate. A derrota de muitos cristãos, que tombam pelo caminho vítimas de seus pecados e das armadilhas do diabo, deve-se invariavelmente à falta de oração, daí nosso desejo de encorajar os crentes a perseverarem diariamente no santo exercício espiritual da oração.

Em Efésios 6.18, Paulo determina a seus leitores que "orem em todo tempo no Espírito, com todo tipo de oração e súplica, e para isto vigiem com toda perseverança e súplica por todos os santos" (NAA). O apóstolo, aqui, está citando as palavras de Jesus, que dera instruções a seus discípulos quanto à maneira de esperar a sua vinda em glória: "Estejam sempre atentos e orem para serem considerados dignos de escapar dos horrores que sucederão e de estar em pé na presença do Filho do Homem" (Lc 21.36).

O que o apóstolo Paulo quer dizer com "em todo tempo"? Existem dois termos no grego para designar "tempo": a palavra *chronos*, que se refere ao tempo cronológico, que pode ser medido no relógio, e a palavra *kairos*, que significa tempo oportuno, oportunidade, ocasião. Esta última é a palavra que Paulo usa aqui. O sentido não é que fiquemos orando em todos os momentos de nosso dia, o que é impossível uma vez que temos outros deveres a cumprir, igualmente ordenados por Deus. Orar "em todo tempo" significa orar em toda situação, estado ou circunstância em que estivermos. Em outras palavras, não importa a idade: criança, adolescente, jovem, adulto, idoso, todos os cristãos de todas as idades devem orar. Também não importa a situação: pobreza, riqueza, saúde, doença, solidão, nem se é casado, solteiro, separado.

"Em todo tempo" significa, ainda, que devemos orar não apenas pelas grandes decisões, como casamento, vestibular, emprego, negócios, cirurgia, mas também pelo que pode parecer mais insignificante. Davi estava à toa, passeando no terraço do palácio, quando ao acaso olhou para uma mulher que se banhava. Ali começou o maior desastre de sua vida (2Sm 11.1-5). José saiu de casa para dar um recado aos irmãos e nunca mais voltou (Gn 37.12-14). Diná, a filha de Jacó, saiu para ver a terra aonde a família havia chegado e foi estuprada, dando início a uma guerra com os moradores de Siquém (Gn 34.1-31).

Não sabemos o que nos acontecerá. Coisas aparentemente pequenas podem tornar-se o início de grandes tempestades. Por isso, precisamos orar sempre. O Senhor Jesus deu ordens aos discípulos nesse sentido (Mt 26.41; Lc 21.36) e também nos ensinou a pedir o pão diário, indicando que todo dia devemos buscar de Deus o sustento material (Mt 6.11).

Em contrapartida, é importante observar o que esses textos, especialmente Efésios 6.18, *não estão ensinando*. Primeiro, eles não ensinam que é dever dos cristãos retirar-se deste mundo para locais desertos a fim de levar uma vida de oração e contemplação, como equivocadamente muitos místicos e monges fizeram durante a Idade Média. Segundo, eles não ensinam que devemos negligenciar outros deveres cristãos em nome da oração. Na verdade, Deus disse a Josué que parasse de orar, pois ele deveria estar preocupado com descobrir quem havia pecado contra o Senhor em Israel (Js 7.6-11). Ele também não queria as orações de Israel, mas, sim, que o povo se convertesse de seus maus caminhos (Is 1.15-17). Tiago nos ensina que não adianta orar para que os necessitados saiam em paz, e se alimentem e se fartem, se não lhes dermos o necessário (Tg 2.14-17).

Terceiro, essas passagens não ensinam que Deus promete responder às orações com mais rapidez ou poder em determinados horários, como, por exemplo, de madrugada ou à meia-noite. E, finalmente, essas passagens não nos ensinam que Deus atenderá mais generosamente as chamadas correntes de oração, as campanhas de oração ou os propósitos de oração. Elas simplesmente nos ensinam que devemos orar em todas as ocasiões que pudermos, o mais que pudermos, sempre que pudermos, sem negligenciar os demais deveres cristãos.

O texto de Efésios 6.18 também nos ensina a necessidade de vigiarmos com toda perseverança. É como se Paulo dissesse que, para orar em todos os momentos e ocasiões, precisamos estar alertas e ser pacientes. O sentido literal da palavra grega para "vigiar" é "manter-se acordado", "ficar alerta", como a sentinela.

Mas por que é necessário que estejamos alertas na oração?

Primeiro, como já vimos, pela importância da oração.

Segundo, por causa de nossa natureza carnal, sempre sonolenta, preguiçosa e indisposta para as coisas de Deus (Ef 2.1-3; 4.17-19), ainda que já tenhamos sido justificados pela fé em

Cristo. A natureza carnal é inimiga de Deus e por isso há em nós uma indisposição natural para a oração, visto que ela sempre implica a mortificação dessa natureza pecaminosa (Ef 4.22). Tendemos a esquecer as bênçãos de Deus, sem mencionar que nosso coração é intrinsecamente incrédulo.

Terceiro, por causa dos ataques do diabo e seus demônios. Paulo já havia descrito a estratégia de nossos inimigos (Ef 6.11) e "as flechas de fogo do maligno" (Ef 6.16). O puritano William Gurnall, na obra clássica *O crente em sua completa armadura*, ao examinar essa passagem de Efésios, diz que o diabo busca basicamente três coisas: (1) evitar que o crente ore, acusando-o de hipócrita, desanimando-o ou mantendo-o ocupado; (2) interrompê-lo enquanto ora, com pensamentos vagos, distrações mentais e frieza na oração; e (3) impedir os efeitos da oração, trazendo dúvidas e desânimo pela demora das respostas ou por respostas não atendidas conforme pedimos.

Portanto, para não perder o espírito de oração — aquela disposição espiritual da mente, de permanecer fixa no Senhor e nele buscar sustento a todo instante — é que precisamos estar sempre alertas, acordados, vigiando em todos os momentos e ocasiões.

Vejamos, por fim, algumas sugestões práticas para obedecermos ao mandamento de orar em todo tempo.

Cultivar espírito de oração. Significa desenvolver uma atitude espiritual de estar com a mente e o coração abertos para falar com Deus a qualquer momento. Veja o caso de Neemias: ele estava numa audiência com o rei e, quando o monarca lhe fez uma pergunta, Neemias elevou, ali mesmo, seu coração a Deus em oração (Ne 2.4). Silenciosamente, no íntimo de seu ser, ele orou ao Senhor naquele momento de decisão. Neemias estava pronto para buscar a Deus em oração a qualquer momento e em qualquer situação. É isso que chamamos de "espírito de oração".

Ler e meditar nas Escrituras. Não existe nada melhor para cultivar o espírito de oração que ocupar a mente com as coisas de Deus. Hábitos como ler bons livros devocionais, teológicos, práticos, escutar bons sermões na internet, participar da vida da igreja (cultos, orações, estudos) e mesmo separar ocasiões para jejuar deixam o espírito pronto para orar a qualquer momento. Desses hábitos, o mais importante é ler a Bíblia e meditar nela diariamente. Se a mente estiver cheia das promessas, das advertências, dos encorajamentos, do consolo, da correção e das obras de Deus que encontramos nas Escrituras, orar será muito mais fácil e natural.

Vigiar-se em todo tempo, para evitar perder essa disposição mental. Existe uma profunda relação entre nossas ações e o espírito de oração, e a respeito deles Pedro faz duas advertências aos leitores de sua primeira carta. Aos maridos, ele determina que vivam de maneira sábia com a esposa, "para que nada atrapalhe suas orações" (1Pe 3.7). E aos cristãos em geral, ele adverte que "o fim de todas as coisas está próximo. Portanto, sejam sensatos e disciplinados em suas orações" (1Pe 4.7). Evitemos, assim, tudo aquilo que afeta o espírito de oração. Não abriguemos pecados ocultos ou não confessados. Não nos ocupemos demais com as coisas deste mundo a ponto de dizer "não tenho tempo", como Marta, a irmã de Maria (Lc 10.38-42).

Estar alerta contra os inimigos da oração. Muitas coisas que, em si mesmas, são boas e legítimas, se usadas erroneamente tendem a apagar o espírito de oração. Por exemplo, a dependência das redes sociais e o vício em trabalhar (*workaholic*) ou em divertir-se e buscar lazer. Muitos crentes encontram tempo para ver temporadas inteiras de séries na televisão, mas não acham tempo para se dedicar a buscar o Senhor em oração.

Orar em todas as situações e ocasiões durante o dia. Dirigindo ou indo de ônibus para o trabalho ou escola, durante o trabalho e nos intervalos, nas refeições com a família ou mesmo sozinho, se houver uma situação em que você não pode orar, provavelmente não deveria estar nela. Por exemplo, você consegue orar ao Senhor assistindo a um vídeo pornográfico? Ou em que se apresentem falcatruas como algo legítimo?

Separar diariamente tempo apropriado para orar. Quão pouco tempo Deus nos pede! "Nem uma hora...", disse Jesus a Pedro (Mt 26.40). Não se trata aqui de legalismo, mas o fato é que precisamos de paz, silêncio, privacidade e concentração para orar mais eficazmente. Assim, escolha um bom horário para você, sem pressões ou correria, quando estiver descansado e não suscetível a interrupções. Vale a pena investir nesse tempo com Deus, a sós ou com outras pessoas.

Depois de orar, manter-se vigilante, aguardando as respostas. Façamos como Habacuque: "Subirei até minha torre de vigia e ficarei de guarda. Ali esperarei para ver o que ele diz, que resposta dará à minha queixa" (Hc 2.1). Depois de orar e derramar seu coração diante de Deus pela nação de Israel, o profeta se dispôs a esperar a resposta de Deus, atento, vigiando e confiando.

PARA REFLETIR

1. Você tem conseguido separar um tempo diário para estar em comunhão com Deus?
2. Cultiva o espírito de oração, preparando a mente e o coração com as coisas de Deus, a fim de conseguir elevar os pensamentos a ele em qualquer situação?
3. Existe alguma coisa que o impede de orar? Tem confessado seus pecados? Tem andado em retidão diante do Senhor?

5
Por que orar se Deus já sabe

Nos capítulos anteriores, definimos o que é orar, estudamos o significado de orar em nome de Jesus, refletimos sobre o dever de orar e abordamos a questão do orar em todo tempo.

O que aprendemos até aqui mostra que Deus ouve as orações e as atende. Em muitos casos, pedimos a Deus que mude circunstâncias, mas se Deus sabe todas as coisas por que lhe pedir que mude o que ele mesmo já decidiu ou determinou? Nossas orações fazem alguma diferença? Elas realmente mudam os fatos, as situações, a realidade?

As Escrituras nos ensinam que Deus é onisciente. Ele conhece o passado, o presente e o futuro. Ele conhece todas as coisas. Nada existe fora de seu conhecimento. Há muitas passagens bíblicas que corroboram essa afirmação. O autor de Hebreus diz que não existe absolutamente nada que esteja oculto aos olhos do Senhor (Hb 4.13). O salmista menciona que Deus olha dos céus e conhece todos os seres humanos, pois forma o coração de todos eles (Sl 33.13-15). Salomão constata que Deus conhece o coração de toda a humanidade (1Rs 8.39; ver Sl 7.9; At 1.24). Jesus disse aos discípulos que Deus já sabe do que precisamos mesmo antes de pedirmos (Mt 6.8). E quem não se recorda das palavras de Davi no salmo 139?

> Ó SENHOR, tu examinas meu coração
> e conheces tudo a meu respeito.

> Sabes quando me sento e quando me levanto;
>   mesmo de longe, conheces meus pensamentos.
> Tu me vês quando viajo e quando descanso;
>   sabes tudo que faço.
> Antes mesmo de eu falar, SENHOR,
>   sabes o que vou dizer.
>
> Salmos 139.1-4

A Bíblia também nos ensina que Deus conhece todas as coisas porque decretou tudo que existe. Falando por intermédio do profeta Isaías, Deus declarou aos judeus:

> Lembrem-se do que fiz no passado,
>   pois somente eu sou Deus;
>   eu sou Deus, e não há outro semelhante a mim.
> Só eu posso lhes anunciar, desde já,
>   o que acontecerá no futuro.
> Todos os meus planos se cumprirão,
>   pois faço tudo que desejo.
>
> Isaías 46.9-10

Está claro nessa declaração que aquilo que Deus anuncia como futuro corresponde à sua vontade, ao seu querer, que ele haverá de realizar, infalivelmente.

O livro de Apocalipse, que contém revelações da parte do Senhor Jesus quanto ao futuro, diz que aqueles cujo nome não estiver escrito no livro da vida haverão de adorar a besta (Ap 13.8). Essa mesma passagem se refere ao Senhor Jesus como o Cordeiro que foi morto antes da fundação do mundo, indicando o propósito de Deus antes mesmo que a humanidade viesse a existir.

O profeta Isaías podia anunciar a morte de Cristo no futuro ainda distante (Is 53) porque Deus já havia decretado esse acontecimento. Da mesma forma, a traição de Judas foi antecipada pelos profetas porque Deus já havia determinado esse fato a fim de que se cumprisse seu plano de salvação (At 1.15-20).

Deus anunciou a Jeremias que o conhecia antes mesmo de o ter formado no ventre materno, e que ele seria seu profeta para as nações porque, antes de seu nascimento, o Senhor já o havia consagrado e designado como tal (Jr 1.5). Paulo descreve sua conversão e seu chamado exatamente nos mesmos moldes de Jeremias (Gl 1.15-17). Escrevendo à igreja em Roma, o apóstolo interpreta o episódio da gravidez de gêmeos de Rebeca da seguinte maneira:

> Antes de eles nascerem, porém, antes mesmo de terem feito qualquer coisa boa ou má, ela recebeu uma mensagem de Deus. (Essa mensagem mostra que Deus escolhe as pessoas conforme os propósitos dele e as chama sem levar em conta as obras que praticam.) Foi dito a Rebeca: "Seu filho mais velho servirá a seu filho mais novo". Nas palavras das Escrituras: "Amei Jacó, mas rejeitei Esaú".
>
> Romanos 9.11-13

A profecia quanto ao futuro dos dois meninos ("Seu filho mais velho servirá a seu filho mais novo") estava baseada no que Paulo chama de "os propósitos" de Deus. Ou seja, o decreto antecede a profecia. Deus anunciou o futuro de Jacó e Esaú porque ele mesmo o havia determinado.

Assim, podemos afirmar com segurança que a história deste mundo já está traçada conforme a sabedoria, a soberania, o poder e o querer de nosso Deus. Por isso, Paulo podia afirmar aos efésios que Deus mandara seu Filho Jesus Cristo na "plenitude dos tempos" (Ef 1.10; Gl 4.4, RA), o que só faria sentido se ele já houvesse estabelecido o começo, o meio e o fim da história.

Cremos que há poucas pessoas que negariam o ensino bíblico acerca da soberania de Deus sobre o mundo, a história e a humanidade. Contudo, é uma indagação legítima perguntar qual o valor de nossas orações, uma vez que tudo já foi estabelecido por Deus. Para que orar, se Deus já sabe tudo, se, na verdade, ele já decretou tudo que existe e existirá?

A verdade é que a oração pode mudar as circunstâncias. A mesma Bíblia que ensina que Deus conhece todas as coisas — porque a sua vontade haverá de prevalecer eternamente — é aquela que nos exorta a orar pedindo-lhe que nos atenda, que mude as circunstâncias, que faça um milagre e altere o rumo das coisas em nosso favor.

A Bíblia nos ensina isso de várias maneiras. Em primeiro lugar, registrando muitos casos em que a oração alterou uma situação ou mudou circunstâncias. Isaque orou por sua mulher, Rebeca, que era estéril. Deus ouviu a oração e ela engravidou (Gn 25.21). Jacó orou a Deus para que o livrasse de seu irmão Esaú, que vinha contra ele com um pequeno exército, e Deus o atendeu (Gn 32.9-12). Ezequias estava cercado pelos exércitos assírios e a destruição de Jerusalém era certa. Contudo, ele orou ao Senhor, que destruiu o exército inimigo e livrou seu servo (2Rs 19.14-19,35-37). Algum tempo depois, Ezequias adoeceu mortalmente, recebendo até mesmo uma profecia de sua morte; no entanto, ele clamou ao Senhor, e Deus o curou e estendeu sua vida por mais quinze anos (2Rs 20.1-11). Ana era estéril, mas orou ao Senhor, que lhe deu Samuel (1Sm 1.10-11;19-20). Pedro foi liberto da prisão e da morte pelas orações da igreja, em Jerusalém (At 12.5,11). Igualmente, Paulo e Silas foram libertos pelas orações e louvores de uma prisão em Filipos (At 16.25-26).

Segundo, a Bíblia traz muitas exortações para que oremos, crendo que Deus atenderá nosso pedido, o que só faz sentido se essas orações realmente puderem fazer diferença. Nosso Senhor nos ensinou a pedir, buscar e bater, com a promessa de que seríamos ouvidos (Mt 7.7-11). Também disse que receberíamos tudo quanto, crendo, pedíssemos em oração (Mt 21.22). Contou ainda uma parábola em que uma viúva conseguiu, por insistência, que o juiz atendesse seu pleito, exemplo que mostra a necessidade de insistirmos na oração (Lc 18.1-8).

Tiago nos exorta a orar pelos doentes, crendo que a oração de fé salvará o enfermo, pois a oração do justo tem muita eficácia (Tg 5.14-16). Paulo nos ordena que oremos sem cessar, o que só faz sentido se nossas orações são realmente ouvidas e respondidas por Deus (1Ts 5.17). Portanto, é evidente que a Bíblia, além de ensinar a soberania de Deus sobre nossa vida, também ensina que, pela oração, podemos mudar as circunstâncias.

Como, então, entender esse aparente paradoxo? Como harmonizar essas duas verdades?

O primeiro passo é admitir que esse assunto é realmente misterioso. O fato é que não podemos saber nem entender todos os seus aspectos porque Deus é um ser imenso enquanto nós somos seres limitados. Ele não nos revelou tudo concernente a sua maneira de proceder e agir neste mundo. Refletindo sobre a grandeza de Deus, Paulo escreveu a seguinte doxologia, que bem descreve as insondáveis riquezas do conhecimento e do agir de Deus:

> Como são grandes as riquezas, a sabedoria e o conhecimento de Deus! É impossível entendermos suas decisões e seus caminhos!
>
> "Pois quem conhece os pensamentos do Senhor?
> Quem sabe o suficiente para aconselhá-lo?"

"Quem lhe deu primeiro alguma coisa,
para que ele precise depois retribuir?"

Pois todas as coisas vêm dele, existem por meio dele e são para ele. A ele seja toda a glória para sempre! Amém.

Romanos 11.33-36

Existem, igualmente, outros mistérios profundos sobre Deus e seu agir no mundo. As doutrinas da Trindade e das duas naturezas de Cristo, por exemplo, são consideradas mistérios da religião cristã. Da mesma forma, a relação entre a absoluta soberania de Deus e a plena responsabilidade do homem.

O segundo passo é aceitarmos lado a lado esses dois ensinamentos bíblicos, a soberania de Deus e a perseverança na oração pela mudança das circunstâncias. Ambos são igualmente verdadeiros, ainda que não compreendamos como se relacionam. De um lado, há várias passagens bíblicas que falam sobre o governo soberano de Deus, que nada acontece sem que ele já tenha determinado. Por outro lado, há igualmente diversas passagens que nos garantem a eficácia de nossas orações para mudar situações e circunstâncias.

Orar é nossa responsabilidade, e devemos fazê-lo ao mesmo tempo confiantes e cientes de que nosso Deus sabe tudo de que precisamos e tudo que virá.

Incompreensivelmente para nós, nossas orações são usadas por Deus para realizar os planos que, na eternidade, ele mesmo já havia estabelecido. Conforme diz a Confissão de Fé de Westminster:

Desde toda a eternidade, Deus, pelo muito sábio e santo conselho da sua própria vontade, ordenou livre e inalteravelmente tudo quanto acontece, porém de modo que nem Deus é o autor do pecado, nem violentada é a vontade da criatura, nem é tirada a liberdade ou contingência das causas secundárias, antes estabelecidas.[2]

Deus não removeu as causas pelas quais ele realiza sua vontade, como as orações, por exemplo. Antes, estabeleceu-as para, por meio delas, realizar seus propósitos.

Então, por que orar?

Simplesmente porque Deus assim determinou. Devemos orar porque ele de fato atende as orações. Devemos orar porque, por meio das orações, Deus realiza seus planos e porque, mesmo que *ele* saiba de tudo, *nós* não sabemos. Devemos orar porque Deus deseja que dependamos dele.

Para refletir

1. Você tem deixado a doutrina da soberania de Deus esfriar sua vida de oração?
2. Você tem orado, crendo realmente que Deus ouve suas orações, atende seus pedidos e súplicas, e muda suas circunstâncias?

---

[2] Cap. III, "Dos eternos decretos de Deus", § 1.

6
Orando no Espírito

Um dos aspectos mais importantes da vida de oração é o que as Escrituras chamam de "orar no Espírito", expressão que designa de maneira geral a atuação do Espírito de Deus em nós. Há entre os evangélicos diferentes entendimentos sobre esse tema. Neste capítulo, nosso alvo é que, ao orar, cada cristão seja edificado, instruído, e aprenda a depender mais e mais do Espírito de Deus.

Tomaremos como base da discussão mais uma vez o texto de Efésios 6.18, em que Paulo exorta os crentes de Éfeso: "Orem em todo tempo *no Espírito*, com todo tipo de oração e súplica, e para isto vigiem com toda perseverança e súplica por todos os santos" (Ef 6.18, NAA).

Nessa passagem, o apóstolo nos ensina vários aspectos da vida de oração, alguns dos quais já estudados aqui: devemos orar em todos os momentos e ocasiões, devemos vigiar na oração, com perseverança, devemos empregar todos os tipos de oração e interceder pelos demais cristãos.

No entanto, talvez o ensino mais importante de Efésios 6.18 sobre oração seja que ela deve ser feita "no Espírito", pois do contrário ela deixará de ser real. Lembremos que os fariseus faziam muitas e longas orações, mas nenhuma delas agradável a Deus, como a do fariseu que orava de si para si mesmo (Lc 18.11). Mas, pelo Espírito, nossas orações serão feitas de maneira agradável a Deus, e por ele ouvidas e atendidas.

Então, o que significa orar no Espírito? De maneira geral, podemos dizer que orar no Espírito significa fazê-lo sob sua assistência e orientação, no poder que dele procede e por ele guiado, pois somos fracos. É o que Paulo ensina em Romanos 8.26-27. Não sabemos orar segundo a vontade de Deus, por isso o Espírito nos ajuda em nossa debilidade espiritual. O rei Davi também sabia disso: "Abre meus lábios, Senhor, para que minha boca te louve" (Sl 51.15).

Em contrapartida, o que *não* significa orar no Espírito?

Primeiro, orar no Espírito não significa, necessariamente, ser movido por fortes emoções. Muitos só consideram que a oração é eficaz quando há choro, lágrimas, gritos, gemidos e sussurros. É bom que haja emoções, mas elas não são indicativos de uma oração no Espírito, pois pode haver muita emoção carnal em meio a nossos afetos religiosos e santos.

Segundo, orar no Espírito não significa fazê-lo em línguas estranhas. Não é o que Paulo ensina em Efésios 6.18, nem em Romanos 8.26, ao referir-se a "gemidos que não podem ser expressos em palavras". Nessa passagem, quem geme é o Espírito, não o crente. Judas também disse que deveríamos orar no Espírito (Jd 1.20), o que no contexto significa não ser como os ímpios, que não têm o Espírito. Em 1Coríntios 14.14-15, Paulo se refere ao orar em línguas. O contexto dessa passagem é o comportamento correto no culto público. O espírito ali mencionado é o espírito humano. O que Paulo está dizendo é que se faz necessária a tradução das línguas faladas no culto para que também se possa orar com a mente, isto é, racionalmente, com entendimento.

Uma vez definida a expressão "orar no Espírito", vejamos algumas formas pelas quais o Espírito de Deus auxilia o crente na oração.

O Espírito desperta o crente para a oração. Nas palavras de Calvino, "nossa indolência e a frieza da nossa carne são tais que não podemos orar da forma correta a não ser se despertados pelo Espírito",[3] daí ser chamado de "Espírito de graça e de súplicas" (Zc 12.10, RC). É o Espírito Santo, portanto, que nos toca o coração e nos desperta para orar: "Meu coração ouviu tua voz dizer: 'Venha e entre na minha presença', e meu coração respondeu: 'Senhor, eu irei!'" (Sl 27.8). Na própria carta aos efésios, Paulo já tinha dito: "Desperte, você que dorme, levante-se dentre os mortos, e Cristo o iluminará" (Ef 5.14). O Espírito nos desperta de nossa indolência, sonolência, frieza, mornidão e passividade. Ele desperta em nós a vontade de orar.

O Espírito nos aproxima de Deus quando oramos. Ele é o Espírito de adoção pelo qual clamamos a Deus "*Aba*, Pai": "E, porque nós somos seus filhos, Deus enviou ao nosso coração o Espírito de seu Filho, e por meio dele clamamos: '*Aba*, Pai'" (Gl 4.6). "Pois vocês não receberam um espírito que os torne, de novo, escravos medrosos, mas sim o Espírito de Deus, que os adotou como seus próprios filhos. Agora nós o chamamos '*Aba*, Pai'" (Rm 8.15).

Como Pai, Deus sabe do que precisamos antes mesmo de pedirmos (Mt 6.8). Como Pai, ele deseja nos dar coisas boas (Mt 7.11). E, como Pai, sua vontade é suprema para nós: "seja feita a tua vontade, e não a minha" (Mt 26.39). Isso significa que podemos confiar em que ele nos ouvirá, que podemos depender completamente dele, que podemos ter intimidade espiritual com ele a ponto de chamá-lo de "paizinho". Orar no Espírito, portanto, é nos achegarmos a Deus como nosso

---

[3] "Comentário da epístola de Judas", v. 20.

Pai celeste, que nos ama, perdoa e cuida de nós. Ele não é um Deus vingativo, cruel e caprichoso, como pensava o homem da parábola dos talentos contada por Jesus: "Eu sabia que o senhor é homem severo. [...] Tive medo de perder seu dinheiro, por isso o escondi na terra" (Mt 25.24-25).

O Espírito conduz a mente até as coisas de Deus. Várias passagens bíblicas nos ensinam isso. Jesus disse que o Espírito Santo, o Consolador, quando viesse, nos ensinaria todas as coisas e nos faria lembrar de tudo que ele dissera (Jo 14.26). Paulo ensina que o Espírito nos faz conhecer o que por Deus nos foi dado gratuitamente (1Co 2.12). O Espírito também nos faz cogitar das coisas de Deus e nos dá aquilo que Paulo chama de "a mente de Cristo" (1Co 2.16). Assim, durante a oração vemos as coisas da perspectiva de Deus, mediante o Espírito: "Tentei compreender por que prosperam; que tarefa difícil! Então, entrei em teu santuário, ó Deus, e por fim entendi o destino deles [dos ímpios]" (Sl 73.16-17).

Desse modo, porque o Espírito nos dá a mente de Cristo, oramos de acordo com a vontade de Deus, com aquilo que ele deseja nos dar. Pelo Espírito, oramos com confiança e ousadia.

O Espírito nos dá acesso à presença do Pai. E ele o faz de diversas maneiras. O Espírito apresenta Jesus Cristo a nossa consciência, como nosso mediador, conforme as palavras do próprio Jesus aos discípulos: "ele me glorificará" (Jo 16.14). Ele também nos lembra sempre da mediação do Senhor, por isso oramos em nome do Senhor Jesus. O Espírito também intercede por nós muito intensamente, como se gemesse no mais íntimo de seu ser em nosso favor (Rm 8.26-27).

Orar no Espírito é, portanto, o oposto de vãs repetições e rezas, de palavras ocas. É o oposto de orações formais, frias, sem coração, sem fervor, mecânicas, monótonas e cansativas.

Orar no Espírito significa orar sob o controle, o poder, a assistência e a orientação do Espírito Santo de Deus. E nesses momentos, por estarmos diante do Deus todo-poderoso e de nosso Salvador Jesus Cristo, o choro ou a alegria podem invadir nosso coração, mas nem sempre somos tomados dessas emoções. Elas não são essenciais ou requeridas para que Deus ouça as orações. Emoções nem sempre indicam a presença do Espírito.

Então, como orar no Espírito?

Em sua carta aos efésios, Paulo menciona várias vezes o Espírito. Ele é nosso selo e garantia (Ef 1.13-14). Ele nos ilumina para conhecermos a Deus (1.17-18). Nele temos acesso ao Pai (2.18). Ele nos fortalece interiormente (3.16). Ele promove a unidade da igreja (4.3). Paulo também deu várias ordens sobre o Espírito aos crentes de Éfeso: eles não deveriam entristecê-lo com seus pecados (4.30), mas encher-se dele (5.18).

Portanto, para que possamos orar no Espírito, devemos ser de fato justificados por Deus mediante Jesus Cristo e ter o Espírito Santo, que vem habitar em nós por ocasião de nossa conversão. Devemos nos encher dele diariamente. Devemos cuidar para não o entristecer com nossos pecados. Lembremos a advertência das Escrituras: "Se eu não tivesse confessado o pecado em meu coração, o Senhor não teria ouvido" (Sl 66.18). Diariamente, podemos ser purificados e lavados no sangue precioso de nosso Senhor Jesus Cristo (1Jo 1.9), e assim, no Espírito, buscar a Deus constantemente em oração.

Se você ora apenas raramente, ou quase nunca, comece por pedir perdão pela falta de oração, depois pelos pecados com os quais entristeceu o Espírito Santo. Então, obedeça a cada impulso interior para orar. Toda vez que o Espírito tocar seu coração, eleve os pensamentos ao Senhor, em oração. Aliás, nem precisa esperar sentir alguma coisa. O Espírito já nos revelou, nas Escrituras, seu desejo de que oremos em todos os momentos e ocasiões, por todas as pessoas, por nossas necessidades. Aproveite cada ocasião de seu dia para orar: refeições, conversas com amigos, notícias ruins, notícias boas, livramentos, necessidades, desafios. Tudo na vida é uma ocasião que o Espírito usa para nos despertar para a oração.

Portanto, ore mesmo quando não sentir vontade. É verdade que nem sempre o verdadeiro crente tem essa facilidade de orar e o desejo de orar. Na maioria das vezes, é uma batalha. Mas persevere, insista, confiante na ajuda do Espírito de Deus, pois ele está agindo mesmo quando você não sente.

PARA REFLETIR

1. Você tem confundido emoções com oração no Espírito?
2. Como você tem entristecido o Espírito em sua vida?
3. Tem insistido em orar, mesmo quando não sente nada?

7
Jejum e oração

É importante saber o significado do jejum bíblico e sua relação com a oração. Jejuar não é uma prática comum e constante nas igrejas reformadas. Há quem defenda, aliás, que o jejum é uma prática judaica, e não cristã. Em contrapartida, entre os evangélicos existem muitos exageros e abusos relacionados com o jejum. Por isso é preciso entender o que a Bíblia realmente diz sobre o assunto, para não nos privarmos de um dos meios que nos permite exercitar nossa fé e nossa vida de oração.

Para lançar uma luz sobre o tema, usaremos como base as palavras de nosso Senhor Jesus Cristo em Mateus 6.16-18. Essa passagem faz parte do ensino de Jesus presente no Sermão do Monte (Mt 5—7). Ele está ensinando aos discípulos como eles deveriam praticar suas boas ações em público (6.1), isto é, a vida de piedade e devoção que caracterizava aqueles que temiam a Deus e queriam viver de acordo com a sua vontade. O Senhor fala das três práticas que melhor expressavam a piedade de seu povo: esmolas (6.2), oração (6.5) e jejum (6.16). Fica evidente por esses textos que o Senhor incluiu o jejum entre as práticas indicativas da expressão de fé e devoção a Deus.

Para entender o que o texto nos ensina sobre o jejum, voltemos o olhar para o Antigo Testamento, começando com o conceito judaico de jejum. Em linhas gerais, o jejum consistia na abstinência voluntária de alimentos e, às vezes, de água, por determinado período, que podia ser de um ou vários dias.

O jejum tinha diversos objetivos e era sempre praticado em conjunto com a oração. O alvo de quem jejuava consistia em separar tempo para buscar a Deus, em oração. O jejum associado à oração servia para quebrantar o corpo e a alma, como diz Davi no salmo 35: *"eu afligia a minha alma com jejum e em oração me reclinava sobre o peito"* (Sl 35.13, RA).

O jejum também servia para expressar contrição, tristeza pelo pecado e arrependimento. De acordo com a lei de Moisés, havia apenas um jejum obrigatório para o povo de Israel, que era feito por toda a nação no "dia da expiação". Esse dia era reservado para o sacrifício anual de um cordeiro, sem defeito e sem mácula, pelos pecados da nação, e os judeus deviam jejuar, isto é, deviam "afligir a alma" mediante o jejum (Lv 16.29-30). Embora nessa passagem não apareça a ordem de jejuar, está subentendido que a aflição de alma a que Moisés se referia era aquela causada pela abstinência de alimentos ("não comerão nada o dia inteiro", NTLH). É essa a interpretação judaica tradicional da passagem, e a única ocasião em que o jejum era obrigatório em Israel.

Contudo, os judeus costumavam jejuar em algumas ocasiões especiais. Depois da morte de Saul, de Jônatas e de muitos soldados de Israel, os judeus choraram e jejuaram de tristeza, liderados por Davi (2Sm 1.12). O rei Josafá apregoou um jejum em Judá quando se viu cercado de inimigos e temeu pelo pior (2Cr 20.3). Esdras apregoou um jejum entre os cativos de Israel quando receberam a liberdade de voltar para a terra prometida, e ele temia pelos perigos da viagem (Ed 8.21,23). Liderados por Neemias, os judeus que voltaram do cativeiro jejuaram e clamaram a Deus, confessando seus pecados e se humilhando diante dele (Ne 9.1; ver tb. Jz 20.26; 1Sm 7.6). Antes disso, o próprio Neemias havia jejuado e orado, em particular, pelo povo de Deus (Ne 1.4). Lemos ainda no livro de Ester que, diante da perspectiva de serem todos mortos pelo rei Assuero, os judeus jejuaram e clamaram a Deus com lágrimas (Et 4.3,16).

Em resumo, os judeus costumavam jejuar quando estavam arrependidos e contristados por seus pecados, quando se sentiam angustiados por alguma calamidade — falta de chuva, perda iminente da colheita, invasão iminente de poderosos inimigos — ou ainda quando queriam muito que Deus os atendesse.

No entanto, havia muitos que não entendiam o propósito do jejum, sua natureza espiritual e sua conexão com a oração e o quebrantamento. O profeta Isaías denuncia em seu livro o jejum meramente ritualista, o simples ficar sem comer, em que o judeu de fato não afligia a alma, não se arrependia e não praticava obras de misericórdia (Is 58.3-6; ver Jr 14.12; Zc 7.5).

Voltemos, agora, ao Novo Testamento. O que Jesus ensinou sobre o jejum?

Na época de Cristo, os fariseus já haviam transformado o jejum em mero ritual externo e legalista, como bem exemplificado na oração do fariseu mencionada em Lucas 18.10-12. É contra esse pano de fundo que o Senhor Jesus ensina os discípulos sobre a verdadeira natureza do jejum, e como praticá-lo corretamente.

Em primeiro lugar, Jesus esperava que seus discípulos jejuassem. Ele próprio havia jejuado e orado por quarenta dias no deserto (Mt 4.2), e pressupunha que seus discípulos haveriam de jejuar também, embora não necessariamente na mesma quantidade de dias. Notemos como ele inicia seu ensino sobre o tema: "Quando jejuarem..." (Mt 6.16). A expressão temporal "quando" é a mesma utilizada para introduzir o tema das esmolas e da oração. Mais diante, Jesus ensina que, após sua morte e ressurreição, dada sua ausência deste mundo, os discípulos jejuariam por estarem privados de sua presença física (Mt 9.14-17).

Podemos concluir com segurança, portanto, que jejuar faz parte da vida cristã e das disciplinas espirituais, ou exercícios espirituais, pelos quais podemos crescer em santidade, graça, piedade e comunhão com nosso Deus. Apesar disso, o Senhor Jesus não considerava o jejum uma prática tão frequente e constante, como a prática da oração. É importante destacar esse ponto. A única ocasião em que o Senhor Jesus parece ter jejuado foi durante o período de quarenta dias no deserto, quando se preparava para o ministério (Mt 4.2-11). Além disso, ele recomendou o jejum, associado à oração, apenas quando estava lidando com um caso extremo de possessão demoníaca. (E mesmo assim, há dúvidas se a expressão "e jejum", nessa passagem de Marcos 9.29, é original, dada sua omissão de muitos manuscritos, motivo de aparecer entre colchetes em algumas traduções.)

Jesus também esperava que seus discípulos jejuassem da forma certa. Em Mateus 6.16-18, o ensino do Senhor sobre o jejum não enfatiza suas técnicas, mas a motivação de quem jejua. Primeiro, ele diz que, ao jejuar, os discípulos não deveriam se mostrar contristados como os hipócritas, que na verdade queriam apenas ser vistos pelos homens (Mt 6.16). O "recado" era para os fariseus e outros judeus que costumavam jejuar por esse motivo.

Conforme já vimos, na época do Antigo Testamento muitos judeus já haviam distorcido o significado e o propósito do jejum, a ponto de acharem que o jejum obrigava Deus a ouvir suas orações. Dissociavam essa prática da vida santa e a encaravam como um ritual religioso meritório, erro que Isaías denuncia em sua profecia (Is 58.3-12).

Na época de Jesus, muitos judeus faziam do jejum uma ostentação religiosa. Os fariseus jejuavam regularmente às segundas e quintas, conforme indicam os escritos dos Pais da Igreja (pastores que lideraram a igreja cristã depois do tempo dos apóstolos), enquanto a lei de Moisés exigia apenas um jejum anual. Jesus chama os fariseus de "hipócritas" (Mt 6.16) porque o intuito deles era parecer piedosos. Alguns chegavam a desfigurar o rosto, deixando de aparar a barba ou de pentear o cabelo, e até mesmo jogavam cinzas sobre a cabeça, em público. Toda essa hipocrisia está bem retratada pelo Senhor Jesus na famosa parábola do fariseu e do publicano (Lc 18.9-14).

Qual seria, então, a forma correta de jejuar? Jesus não entra em detalhes sobre, por exemplo, que tipo de alimentos evitar e por quanto tempo, pontos não polêmicos na época. O Senhor se concentra nas *motivações* que deveriam orientar seus discípulos na prática do jejum.

Em primeiro lugar, não deveriam fazê-lo para ostentar diante dos homens (Mt 6.17), mas em vez disso manter a aparência normal: rosto lavado e ungido com óleo, como era costume entre os judeus.

Segundo, deveriam buscar agradar a Deus, em vez de buscar aplauso humano (Mt 6.18), a fim de receber aprovação de Deus, exatamente como no caso das esmolas (6.2) e das orações (6.5). O Senhor se refere ao Pai como aquele que "vê em secreto", isto é, que observa e acompanha nossas ações e as motivações de nosso coração. Portanto, não é preciso exibição pública de piedade para que ele nos note (6.18b). A recompensa a que se refere o texto não significa que o jejum tem algo de meritório. Ele apenas prepara o crente para a oração, sem nenhum valor em si mesmo. O Senhor Jesus está simplesmente dizendo que, ao ver que seu servo jejua, Deus se alegrará e o aprovará. Afinal, esse é o objetivo do jejum: buscar a Deus em oração.

Por fim, o que os apóstolos praticaram e ensinaram sobre jejum?

No livro de Atos, que registra as atividades dos discípulos e o avanço da igreja apostólica, o jejum coletivo aparece somente em ocasiões de busca da vontade de Deus na escolha de líderes. A igreja de Antioquia, orando e jejuando, separou e enviou Saulo e Barnabé em viagem missionária (At 13.2-3). O apóstolo Paulo conduzia, em oração e jejum, a eleição de presbíteros (At 14.23). Individualmente, Paulo costumava jejuar diante das angústias, adversidades e dificuldades de seu ministério, e por duas vezes relaciona os jejuns como parte de seus sofrimentos como apóstolo de Cristo (2Co 6.5; 11.27).

Contudo, não há nenhuma recomendação, nas cartas escritas às igrejas pelos apóstolos e seus associados, para que os crentes jejuem com regularidade. Por isso, entendemos que o jejum é voluntário e pode ser praticado quantas vezes o crente quiser e nas ocasiões em que sentir necessidade de dedicar-se mais intensamente à oração, mas sempre sem alardes. Já as igrejas podem convocar os crentes para jejuar e orar em ocasiões especiais e, quando julgarem necessário, para escolher e eleger pastores, presbíteros e diáconos.

O manual de liturgia da Igreja Presbiteriana do Brasil resume de forma correta o ensino bíblico sobre o assunto:

> Sem o propósito de santificar de maneira particular qualquer outro dia que não seja o dia do Senhor, em casos muito excepcionais

de calamidades públicas, como guerras, epidemias, terremotos etc., é recomendável a observância de dia de jejum ou, cessadas tais calamidades, de ações de graças. Os jejuns e ações de graças poderão ser observados pelo indivíduo ou família, igrejas ou concílios.[4]

Resumindo, o jejum é mais do que apenas deixar de comer ou beber durante um período. Implica separar tempo para buscar a Deus em oração. É um período de mortificação do corpo e da alma. O jejum em si não é meritório, deve sempre estar associado com a oração e serve para nos preparar para orar ainda mais e melhor.

O jejum também deve ser praticado de forma discreta. O alvo é ter mais comunhão com Deus e conhecê-lo melhor. Quanto à igreja, é lícito que ela promova dias de oração e jejum, quando entender que a ocasião assim o demande.

Para refletir

1. Você já jejuou alguma vez? Se não, por quê?
2. Se você já jejuou, como o ato de jejuar afetou sua vida de oração?
3. Você se disporia a jejuar com toda a igreja, caso a liderança convocasse um dia de jejum e oração?

---

[4] Princípios de Liturgia, cap. XI, arts. 24-25.

8
Tipos de oração

Vimos até aqui que a oração é uma disciplina espiritual de grande valor e um dos meios de graça mais importantes ordenados por nosso Deus para sua igreja. Agora, veremos os diversos tipos de oração encontrados na Bíblia e para esta reflexão usaremos mais uma vez como base as palavras de Paulo em sua carta aos efésios: "Orem em todo tempo no Espírito, *com todo tipo de oração e súplica*, e para isto vigiem com toda perseverança e súplica por todos os santos" (Ef 6.18, NAA).

O que significa "todo tipo de oração e súplica"?

Longe de ser algo formal e mecânico, como uma fórmula matemática ou uma receita de bolo, a oração é multifacetada, dinâmica, diversificada, e assim é porque somos criaturas complexas, que vivem em um mundo complexo e imersos em diferentes situações, que se relacionam com um Deus infinito e para o qual orações prontas nem sempre funcionam ou são adequadas. "Todo tipo de oração" significa toda maneira de oração lícita, conforme ensinado na Bíblia. O que Paulo quer dizer com essa expressão é que há muitos tipos de oração — todos necessários, importantes e úteis — e todos devem ser empregados.

O texto traz um encorajamento: orar não precisa ser uma prática monótona, difícil, repetitiva, fria, mecânica ou formal! Uma vez que nosso relacionamento com Deus apresenta muitas dimensões, é natural que não haja apenas uma forma de orar ou um único tipo de oração.

Mais uma vez é importante destacar o que Paulo *não* está dizendo ao ensinar que devemos empregar todo tipo de oração. Ele não está dizendo que podemos inventar formas de oração. A maneira certa de buscar a Deus em oração foi revelada por ele próprio mediante as Escrituras. Paulo também não está dizendo que Deus aceita todo e qualquer tipo de oração feita com sinceridade. Já vimos que Deus não aceita vãs repetições, rezas, palavras ocas. Ele também não aceita orações feitas a santos ou a Maria, tampouco permite que oremos pela mediação deles. De igual modo, Deus não aceita orações para os mortos, pedidos aos anjos, comunicação com espíritos. Todas essas são práticas proibidas na Bíblia.

Embora as Escrituras não nos proíbam de dirigir-nos diretamente ao Filho e ao Espírito, a oração deve ser dirigida ao Pai, na mediação de Jesus Cristo e na dependência do Espírito Santo. A Bíblia nos ensina várias maneiras de dirigir-nos a Deus em oração. Vejamos os quatro tipos de oração mais comuns nas Escrituras, sempre tendo em mente que é possível classificar as orações de outras formas.

Oração súbita, repentina, não preparada. Trata-se do levantar a alma a Deus em situações inesperadas, de emergência. Dois exemplos talvez nos ajudem a entender esse ponto. Durante o cativeiro babilônico, Neemias, um judeu piedoso que fora trasladado para a Babilônia e se tornara copeiro do rei Artaxerxes, sentiu profunda tristeza pela situação dos judeus que ficaram em Israel. Inesperadamente, o rei, percebendo sua tristeza, permite-lhe pedir o que desejasse. Que situação delicada e séria! Da ótica humana, Artaxerxes tinha todo o poder necessário para atender a qualquer pedido de Neemias. Era preciso dar ao rei uma resposta não só imediata mas também sábia e prudente. Nesse período tão curto de tempo, Neemias ora "ao Deus dos céus" (Ne 2.4) diante do rei. Uma oração silenciosa, do fundo de seu coração, pedindo a Deus sabedoria. E Deus o atende.

Há outra ilustração de oração súbita, repentina e não preparada de antemão, feita por Davi no episódio em que ele foge de Jerusalém ao saber que seu fiel conselheiro Aitofel havia se passado para o lado de Absalão. Imediatamente, ali mesmo, ele dirige a Deus uma breve oração: "Ó SENHOR, faze que Aitofel dê conselhos errados a Absalão!" (2Sm 15.31). Deus ouviu aquela oração simples, breve e espontânea, e atendeu Davi.

Esse tipo de oração pode ou não conter palavras. Em certas ocasiões, quando a dor do coração é muito grande ou estamos tão perplexos que não conseguimos organizar os pensamentos e as palavras diante do Senhor, tudo que podemos fazer é gemer (ver Sl 31.10; 32.3; 38.8; 79.11), e nosso Deus escuta a oração gemida, mesmo não articulada com palavras. Em um de seus sermões, Charles Spurgeon ilustrou esse ponto ao mencionar que certos mendigos não precisam pedir, eles simplesmente se sentam numa esquina com um cartaz escrito "estou com fome".

Oração preparada, planejada, estruturada. Em contraste com a oração extemporânea, há aquela feita em ocasiões previamente estabelecidas no dia. Muitos cristãos gostam de seguir uma rotina em que dedicam um tempo fixo para exercícios espirituais. Em Jerusalém, os judeus costumavam orar três vezes ao dia, no templo: durante o sacrifício da manhã, às três da tarde (hora nona) e durante o sacrifício vespertino. Jesus mencionou, na parábola do fariseu e do publicano, que ambos "foram ao templo orar" (Lc 18.10), o que deve ter acontecido em um daqueles horários. Os primeiros cristãos, judeus convertidos, mantiveram essa prática. Lemos no livro de Atos que "certo dia, por volta das três da tarde, Pedro e João foram ao templo orar" (At 3.1). Mais adiante (At 10.9), lemos que, por volta do meio-dia, Pedro subiu ao terraço da casa de Simão para orar, mostrando que ele guardava o hábito de orar em determinados horários, mas não mais necessariamente nos três horários judaicos.

Embora o livro de Atos não traga exemplos de cristãos gentios orando em momentos determinados, nem encontremos nas cartas dos apóstolos orientações sobre isso, não é difícil imaginar que os primeiros cristãos procuravam, diariamente, separar momentos específicos para estar em comunhão com o Senhor em oração fervorosa e súplice, seguindo o exemplo do próprio Mestre, que costumava isolar-se para buscar o Pai em oração (Mc 1.35; Lc 5.16).

Jesus também nos deixou uma oração que nos serviria de padrão e modelo, a Oração do Pai-Nosso (Mt 6.9-13). Ela apresenta uma ordem e uma estrutura claras. Começa com uma invocação, seguida de três pedidos pelo reino de Deus e três pedidos por nossas necessidades, terminando com uma declaração do poder e da glória de Deus. O Pai-Nosso não é para ser recitado como uma reza, mas, sim, para orientar nossas orações, o que indica que o Senhor esperava que orássemos regularmente e de maneira estruturada e organizada. Quantas vezes reservamos tempo para estar com Deus em oração e não sabemos o que dizer ou pedir! Ter uma estrutura como guia nos ajuda muito.

Além de usar o Pai-Nosso como modelo, também podemos lançar mão dos Dez Mandamentos ou de um salmo. Em minha experiência pessoal, tenho usado regularmente esta sequência: agradecimento pelas bênçãos materiais e espirituais, nomeando-as em detalhes; adoração ao Deus trino, louvando e adorando cada uma das três pessoas; confissão de pecados; pedidos pessoais; intercessão por pessoas que sei estarem passando por dificuldades, pelos que estão em posição de autoridade, pela igreja de Cristo e outros pedidos similares. Seguir essa sequência ajuda a manter-me mais tempo diante do Senhor em oração.

Esse tipo de oração pode ser feito em privado ou com outras pessoas.

Oração em secreto. Como o nome já diz, é a oração feita não em público, mas reservadamente, quando o crente está sozinho na presença de Deus. Há uma orientação para isso, dada pelo Senhor Jesus: "Quando orarem, cada um vá para seu quarto, feche a porta e ore a seu Pai, em segredo. Então seu Pai, que observa em segredo, os recompensará" (Mt 6.6). Há vários exemplos nas Escrituras desse tipo de oração. Lemos que Jacó ficou sozinho no vau de Jaboque para lutar com Deus, e que prevaleceu em oração (Gn 32.22-28). Também lemos a história de Ana, que, solitária no templo, orava por um filho, e somente seus lábios se moviam (1Sm 1.9-13). O exemplo mais conhecido é do próprio Senhor Jesus, que com frequência se retirava para orar.

É nesses momentos de isolamento que podemos nos concentrar melhor na oração e buscar o Senhor com intensidade e propósito.

Oração pública, em conjunto com outros irmãos. As Escrituras ordenam esse tipo de oração como parte do culto público que prestamos a nosso Deus. O Senhor Jesus prometeu que estaria presente quando dois ou três estivessem reunidos em seu nome, e assim atenderia suas petições (Mt 18.19-20). O apóstolo Paulo orientou Timóteo a orar nos cultos públicos por todos os que estivessem investidos de autoridade (1Tm 2.1-2,8).

O livro de Atos registra que nossos irmãos da igreja apostólica reuniam-se regularmente para orar juntos, como os 120 irmãos no cenáculo, aguardando o derramar do Espírito Santo (At 1.14). Lemos também que eles, unânimes, elevaram a voz a Deus, diante da perseguição contra os apóstolos em Jerusalém (4.24). Quando Pedro foi preso, lemos que a igreja estava reunida em oração em seu favor (12.5). Paulo reuniu os irmãos da igreja de Éfeso à beira-mar e orou com todos eles (20.36).

A oração pública ou conjunta pode ser feita em família (culto doméstico), nos cultos públicos ou em reuniões de oração da igreja. É um privilégio orar com outros irmãos.

Cabe lembrar que não é somente a forma que varia na oração, mas também seu conteúdo.

Em Efésios 6.18, Paulo menciona a *súplica*, que traduz um pedido de ajuda, de socorro, de alguém muito necessitado. Foi o próprio Jesus que nos estimulou a buscar o Pai de maneira súplice, como quem pede, busca, bate na porta suplicando por ajuda (Mt 7.7-11). Paulo também ensinou que podemos pedir a Deus tudo de que precisamos (Fp 4.6-7).

Além da oração de súplicas, temos a oração de *adoração*, que consiste em reconhecer quem Deus é, seus atributos e obras, e assim dar-lhe glória e louvor. Um exemplo é a adoração dos anciãos na visão de João (Ap 4.9-11). A adoração pode ainda ser acompanhada de hinos, como Paulo e Silas fizeram na prisão (At 16.25).

A *gratidão*, ou o dar graças a Deus, é outro tipo de oração. Consiste em agradecer alegremente a Deus por todas as bênçãos que ele nos concede. Paulo também faz menção a ela na carta aos efésios: "Por tudo deem graças..." (Ef 5.20). Já a *confissão* consiste em concordar com Deus que somos pecadores, e pedir-lhe seu perdão (1Jo 1.9). Um bom exemplo é o salmo 51, em que Davi ora confessando seu pecado de adultério e assassinato, e, arrependido, pede o perdão de Deus.

Temos ainda a oração de *lamento* e de *clamor*, que é o chorar diante de Deus por causa de uma tragédia, como a morte, a perda, o acidente, a doença. Com jejuns e quebrantamento, Neemias fez essa oração, que refletia a situação dos judeus (Ne 1.4).

A oração também pode apresentar-se na forma de um questionamento respeitoso, quando não entendemos os planos de Deus, nem sua providência. Foi assim que o profeta Habacuque orou, diante da visão que Deus lhe deu sobre a invasão dos caldeus (Hc 1.12-17), ou ainda Jó, diante de todo o sofrimento que lhe sobreveio.

E por fim, a oração de *intercessão*, que é buscar a misericórdia de Deus em favor de outros. João nos ensinou a interceder pelos irmãos que caíram em pecado (1Jo 5.16). Jó intercedeu por seus amigos, ainda que tivessem se equivocado sobre ele (Jó 42.10). Jesus fez o mesmo na cruz por seus algozes (Lc 23.34).

Toda essa variedade na oração, seja na forma seja no conteúdo, mostra-nos a riqueza desse meio de graça. Mais que isso, significa que também nunca nos faltará motivos nem oportunidades para orar. Que estímulo poderoso à vida de oração!

Para refletir

1. Você tem usado esses diferentes tipos de oração em seu relacionamento com Deus?
2. Sua vida de oração é rica, variada e estimulante? Você gosta de orar?
3. Sua vida de oração não é tão atraente? Identifique os motivos.

9
Orando pelas autoridades

Em muitos sentidos a vida dos cristãos é similar à dos não cristãos. Estudar, trabalhar, criar uma família, pagar impostos, lutar pelo pão de cada dia, expressar opiniões, exercer e praticar aquilo em que se acredita, eis o dia a dia de crentes e descrentes. Todos almejamos condições sociais dignas para nós e os demais, a fim de que tais atividades, parte essencial de nossa existência, ocorram normalmente. Em grande medida, essas condições dependem das autoridades governamentais. Deus as colocou neste mundo exatamente para que houvesse ordem, paz e progresso na sociedade. Paulo se refere a elas como "servos de Deus" (Rm 13.4), razão pela qual devemos orar por elas, para que desempenhem corretamente sua função, e para que sejam salvas de seus pecados mediante a fé em Jesus Cristo.

Na primeira carta que escreveu a Timóteo, seu filho na fé, o apóstolo Paulo trata do assunto:

> Em primeiro lugar, recomendo que sejam feitas petições, orações, intercessões e ações de graça em favor de todos, em favor dos reis e de todos que exercem autoridade, para que tenhamos uma vida pacífica e tranquila, caracterizada por devoção e dignidade. Isso é bom e agrada a Deus, nosso Salvador, cujo desejo é que todos sejam salvos e conheçam a verdade.
>
> 1Timóteo 2.1-4

No primeiro versículo, Paulo exorta Timóteo a ensinar a igreja a orar por todos, independentemente de classe e situação social. Há quatro ensinamentos que podemos destacar nessa passagem.

A oração deve vir em primeiro lugar. Observe a prioridade que o apóstolo dá à oração: "em primeiro lugar". Nessa seção da carta, Paulo trata do culto público nas igrejas de Éfeso, onde Timóteo havia sido deixado com a missão de pastoreá-las e colocar em ordem uma série de situações, para o bem dos crentes de Cristo. Antes de qualquer outra medida, Timóteo deveria incentivar os crentes a orarem por todas as pessoas. Essa priorização de Paulo da oração na vida da igreja e nos cultos mostra quanto precisamos da ação de Deus em nossa vida a fim de que possamos desfrutar de paz e prosperidade.

A oração é necessária dada nossa impotência para salvar os outros. Essa prescrição para que oremos em favor de todos resulta de duas questões apresentadas anteriormente na carta a Timóteo. A primeira é que, mesmo tendo sido um perseguidor ferrenho da igreja de Cristo, Paulo foi salvo pela intervenção sobrenatural de Deus, no caminho para Damasco (At 9.1-9). Se Deus mudou o coração de Paulo, poderia mudar o coração de qualquer pessoa (1Tm 1.12-17). A segunda é que pessoas como Himeneu e Alexandre, membros professos da igreja de Éfeso, haviam se desviado da verdade do evangelho passando a ensinar outras doutrinas, o que levou Paulo a entregá-los a Satanás (1Tm 1.18-20). Somente o Senhor, portanto, pode evitar que nos desviemos da verdade e somente ele pode preservar os eleitos.

Essas são as razões, no contexto da carta, pelas quais Paulo considera prioridade a oração pública por todos. Algo que tem de ser feito "em primeiro lugar".

Orar por todos demanda diferentes formas de oração. Paulo menciona quatro expressões diferentes para se referir às orações a serem feitas em favor de todos. A primeira é "petições", o que aponta para a necessidade daquele que ora. Ele está aflito, necessitado, e recorre urgentemente a Deus, sabendo que o Senhor é quem pode atendê-lo. Ao orar pelas pessoas, pedindo por elas, está clara a ideia de que elas não são capazes de salvar-se por si mesmas e precisam do favor de Deus para viver neste mundo.

A segunda expressão, "orações", reflete o termo mais comum e geral para essa atividade no Novo Testamento. Oração indica a comunicação respeitosa a Deus das nossas necessidades e das necessidades dos demais. Já "intercessões", a terceira expressão de Paulo, diz respeito a nos achegarmos a Deus, confiantemente, em favor do outro.

Notemos que, embora se trate de três expressões diferentes, todas são indicativas da mesma ação: buscar a Deus, com fervor, em favor dos demais.

Por último, "ações de graça", isto é, gratidão a Deus pelas pessoas em geral e pelas bênçãos que ele já nos tem concedido, o bem comum. É importante que nunca nos esqueçamos de agradecer a Deus pelas bênçãos que ele permitiu que nos chegassem por meio das pessoas.

Orar por pessoas de todas as classes, situações e condições. Paulo determina que se façam orações "em favor de todos" (1Tm 2.1). A palavra "todos" não pode ser tomada no sentido de "cada" pessoa que existe. É impensável imaginar que Paulo queira que oremos em favor de cada indivíduo do planeta. O contexto da expressão favorece a interpretação "pessoas de todas as classes", uma vez que no versículo seguinte ele se refere aos que estão em posição de autoridade: "em favor dos reis e de todos que exercem autoridade" (1Tm 2.2).

"Reis" e "autoridades" são expressões gerais de Paulo para designar aqueles que ocupavam posição de comando na complexa hierarquia romana, encabeçada pelo imperador e pelo senado. Abaixo deles, havia governadores das províncias, procônsules, procuradores, prefeitos, magistrados e juízes, além das autoridades militares. Eles "estão em autoridade", diz o texto grego, o que significa que foram investidos naquela função, apontando para a legalidade do cargo. Orar pelas autoridades era prática judaica comum naquela época. O historiador Flávio Josefo menciona que duas vezes ao dia os judeus ofereciam um carneiro, no templo, em favor do imperador e do povo romano.[5]

Quais as razões imediatas de Paulo para destacar os governantes no pedido de oração por pessoas de todas as classes e situações sociais? Podemos pensar em algumas. Em primeiro lugar, em tempos de crise e perseguição os crentes tendem a se esquecer de orar pelos governantes e se sentem mais inclinados, na verdade, a insultá-los. Segundo, os cristãos já eram acusados de maus cidadãos pelos gregos e romanos, visto que não adoravam o imperador, nem se referiam a ele com o título de "Senhor". Terceiro, cristãos têm dificuldade em reconhecer que mesmo os maus governantes ocupam suas funções pela estrita permissão de Deus. Quarto, Paulo sabia que era por meio das autoridades constituídas que Deus agia fazendo o bem e punindo os malfeitores, e dessa forma permitindo que a igreja exercesse sua missão.

O que, então, devemos pedir a Deus ao orar pelas autoridades?

Devemos pedir que Deus as abençoe, primeiramente, para que sejam salvas de seus pecados, mas também para que possam agir em favor do povo e da igreja de Cristo. Paulo cita pelo menos quatro assuntos que precisamos ter em mente ao

---

[5] *A guerra dos judeus*, livro II, § 197.

orar por elas. Primeiro, devemos orar pelas autoridades "para que tenhamos uma vida pacífica", isto é, sem guerras e conflitos. Essa é a vontade geral de Deus, em seu amor comum pela humanidade: que tenhamos paz. Por isso, devemos orar para que as autoridades garantam a segurança, punam os malfeitores e protejam as pessoas de bem.

Segundo, para que tenhamos uma vida "tranquila", para ganhar nosso pão. Por isso, devemos orar para que as autoridades garantam boas condições de trabalho, não cobrem impostos abusivos e nos deem condições de ganhar o pão sem lutas e conflitos.

Terceiro, para que tenhamos uma vida "caracterizada por devoção", ou seja, exercendo os atos religiosos que Deus requer de nós, como reunir-nos para o culto, evangelizar e fazer boas obras. Para isso, é preciso que as autoridades garantam a liberdade de consciência, de expressão e de religião. Devemos orar por isso.

Quarto, para que tenhamos uma vida caracterizada por "dignidade", não somente respeitando as autoridades como também sendo respeitados por elas. Assim, devemos orar para que as autoridades garantam a igualdade e o direito de todos os cidadãos, a fim de que todos tenham acesso aos direitos civis fundamentais e se respeitem mutuamente.

Aqui temos o que seria o padrão de Deus para uma sociedade, ainda que marcada pelos efeitos terríveis do pecado. Embora saibamos que apenas no reino de Cristo será possível viver plenamente nessas condições, devemos orar para que Deus nos permita experimentar um pouco delas aqui neste mundo, através das autoridades civis.

Isso é *o que* devemos pedir. Mas *por que* orar pelas autoridades?

Paulo nos dá duas razões adicionais pelas quais devemos orar pelas autoridades constituídas. A primeira é porque isso agrada a Deus: "Isso é bom e agrada a Deus, nosso Salvador" (1Tm 2.3). Orar pelas autoridades indica que reconhecemos que elas nos foram dadas por Deus. Indica que nós, cristãos, buscamos o bem de todas as classes de pessoas.

A segunda, porque Deus deseja que "todos sejam salvos e conheçam a verdade" (1Tm 2.4). Mais uma vez, "todos" não significa cada pessoa que viveu no planeta. Se Deus deseja que todos os seres humanos que existem ou já existiram sejam salvos, por que eles, de fato, não são? Por que há milhões de pessoas indo para o inferno? Há duas possibilidades de entender a expressão "todos" nessa passagem. A primeira é que o desejo de Deus pela salvação de todos os seres humanos não se refere a seu desejo eficiente, sua vontade e seu propósito eternos, mas a sua boa vontade geral para com as pessoas. A segunda é que "todos" se refere a pessoas de todas as condições e classes sociais, incluindo os governantes. Esta última interpretação é abonada pelo contexto (veja a análise de 2.1) e resolve o problema. Deus quer — e efetivamente vai — salvar pessoas de todas as classes e condições.

Em que sentido nossas orações colaboram com isso? De várias formas. Deus é quem salva as pessoas, mas ele determinou que orássemos pela salvação delas. Além disso, bons governantes criam condições para que a sociedade caminhe em paz, respeito, igualdade e liberdade. E, em condições assim, a igreja cresce e se multiplica, e muitos são salvos.

A partir dessas reflexões, podemos tirar algumas lições importantes. Em certo sentido, em 1Timóteo 2.1-4, Paulo descreve como deve ser nossa vida: trabalhar tranquilamente, viver em paz com todos, respeitar as diferenças e expressar livremente nossa fé ao mundo. Bons governantes promovem boas condições de trabalho, igualdade e liberdade religiosa, e esse deve ser o alvo de nossas orações e petições.

O fato de Paulo nos exortar a orar não quer dizer que seja tudo que podemos fazer. Podemos influenciar a sociedade, fazer campanha, boa política e votar em governantes que façam o mesmo.

Até mesmo presidentes, senadores, governadores, deputados, prefeitos, vereadores ou magistrados descrentes podem se converter. Talvez por não pensarmos nisso é que oramos tão pouco por eles. A verdade, porém, é que Deus responde a nossas orações salvando pessoas de todas as classes e condições sociais.

PARA REFLETIR

1. Você costuma orar pelas autoridades, mesmo discordando delas?
2. Usa as redes sociais para insultá-las?
3. Você é fiel quando se trata de impostos e tributos devidos às autoridades?

10
A oração e as Escrituras

Um dos cânticos que aprendi na infância foi "leia a Bíblia e faça oração, se quiser crescer". Mais tarde, na mocidade, escutei muitas vezes a expressão "precisamos de vitamina BO para poder crescer" (B = Bíblia e O = Oração). Embora não reste dúvida de que os evangélicos acreditam que é preciso ler a Bíblia e orar todos os dias, poucas vezes refletimos sobre a relação entre essas duas coisas. Por que a leitura da Bíblia e a oração andam juntas? De maneira muito simples, podemos dizer que, quando lemos a Bíblia, Deus fala conosco e, quando oramos, nós falamos com Deus — e esse diálogo é o que buscamos em nossos momentos devocionais.

Para que possamos entender a importância de nossa devocional diária, precisamos compreender melhor essa relação entre as Escrituras e a oração. Para tanto, focaremos a prática individual de leitura bíblica e oração, e não o culto doméstico ou o culto público.

Comecemos pelas Escrituras. Chamamos de Escrituras aqueles livros que compõem a nossa Bíblia e que nos foram dados por divina revelação. Através das Escrituras, tomamos conhecimento das promessas de Deus, de suas obras grandiosas na Criação e na Redenção do ser humano, e recebemos grande conforto e consolo em saber quem Deus é e quanto nos ama.

Os livros da Bíblia foram escritos por pessoas como nós, dentro de um contexto geográfico-cultural específico e nos idiomas falados em sua época (hebraico, aramaico, grego). Mediante a ação do Espírito Santo, os diferentes autores bíblicos registraram — de maneiras diversas, mas de forma infalível e inerrante — a vontade de Deus para o seu povo. Pela graça de Deus, as Escrituras têm sido traduzidas fielmente ao longo da história para os idiomas falados pelas diversas nações, de forma que a igreja de Deus espalhada pelo mundo sempre tivesse acesso ao conteúdo da Bíblia, nela encontrando conforto e ajuda nos momentos de tribulação. E, por ser a Palavra inspirada de Deus, nós a consideramos nossa única regra de fé e prática, isto é, o referencial para tudo em que cremos e a orientação para tudo o que praticamos.

O Senhor nos deu as Escrituras por vários motivos. Em primeiro lugar, porque queria que tivéssemos uma revelação segura de sua vontade, sem depender de experiências e da subjetividade humanas. Segundo, porque desejava preservar sua revelação final para todas as gerações, e para isso o registro escrito da sua vontade mostrou-se o meio mais apropriado. Terceiro, porque, muito embora a natureza e a consciência humana nos falem de Deus, é somente na revelação escrita que encontramos quem ele é, sua vontade para nós e seu plano redentor. Assim, é da maior importância que os crentes conheçam muito bem a Bíblia, meditem em seus ensinamentos e apliquem suas instruções a todas as áreas da vida. Escrevendo aos crentes de Roma, Paulo disse: "Essas coisas foram registradas há muito tempo para nos ensinar, e as Escrituras nos dão paciência e ânimo para mantermos a esperança" (Rm 15.4).

Nessa passagem podemos perceber alguns propósitos de Deus em nos dar as Escrituras. Primeiro, tudo o que foi escrito sob a supervisão do Espírito Santo é para o ensino dos crentes em Cristo. Segundo, pelas Escrituras temos consolo e esperança. Escrevendo a Timóteo, seu filho na fé, Paulo disse algo semelhante quanto ao propósito das Escrituras:

> Você, porém, deve permanecer fiel àquilo que lhe foi ensinado. Sabe que é a verdade, pois conhece aqueles de quem aprendeu. Desde a infância lhe foram ensinadas as Sagradas Escrituras, que lhe deram sabedoria para receber a salvação que vem pela fé em Cristo Jesus. Toda a Escritura é inspirada por Deus e útil para nos ensinar o que é verdadeiro e para nos fazer perceber o que não está em ordem em nossa vida. Ela nos corrige quando erramos e nos ensina a fazer o que é certo. Deus a usa para preparar e capacitar seu povo para toda boa obra.
>
> 2Timóteo 3.14-17

Notemos os propósitos das Escrituras nessa declaração de Paulo. Elas tornam a pessoa sábia para a salvação pela fé em Cristo, elas são úteis para instruir os crentes em toda boa obra. Em resumo, as Escrituras são o meio pelo qual Deus atua nas pessoas, atingindo seus diferentes propósitos para cada uma delas, desde a salvação até o aperfeiçoamento na vida cristã.

Portanto, sem a atuação do Espírito de Deus por meio das Escrituras é impossível chegar ao conhecimento salvador de Deus e crescer na fé. Como disse o apóstolo Paulo, as pessoas só podem invocar o nome de Jesus se ouvirem a pregação a respeito dele (Rm 10.14). Daí ele concluir que a fé vem pelo ouvir a palavra de Deus (Rm 10.17).

Existe, assim, uma relação estreita entre a revelação escrita de Deus e a oração de seu povo. Essa relação pode ser exemplificada de muitas maneiras, e uma delas é pela tentação de Jesus no deserto, durante quarenta dias. Nesse período ele jejuou e certamente orou com muita intensidade, uma vez que jejum e oração estavam intimamente ligados na vida do judeu piedoso, como vimos no capítulo 7. É significativo notar que, quando o diabo veio tentar Jesus, o Senhor respondeu imediatamente com textos extraídos da lei de Moisés, confrontando e rebatendo Satanás com toda autoridade. Não é difícil imaginar que durante os quarenta dias o Senhor estava não somente jejuando e orando, mas também meditando nos escritos de Moisés (Mt 4.1-11).

De fato, ler a Bíblia nos desperta a orar. No salmo 119, o salmista reconhece que só poderia agradecer a Deus de maneira íntegra depois de ter aprendido os retos juízos do Senhor, os quais estavam na lei por ele revelada a Moisés (119.7). O salmista meditava nos juízos divinos revelados nas Escrituras e se levantava à noite para render graças a Deus por causa deles (119.62). Ele costumava acordar de madrugada para clamar a Deus, esperando, confiante, nas promessas registradas nas Escrituras (119.147). Conhecer a justiça dos juízos de Deus, revelados na lei de Moisés, levava-o a louvar ao Senhor sete vezes ao dia (119.164).

Em resumo, através da leitura da lei de Moisés, onde estão registrados os estatutos, juízos, promessas e atos de Deus, e da meditação nela, o coração do salmista se elevava ao Senhor em oração e ação de graças, em súplicas e petições. Ler as Escrituras e meditar nelas despertava no salmista o desejo de orar, de buscar a Deus, de louvar o nome do Senhor.

Da mesma forma, aqueles crentes que mantêm uma disciplina diária de ler as Escrituras e de meditar nelas desenvolvem uma vida de oração mais intensa, sentem mais prazer em orar, buscam o Senhor em oração com mais clareza e propósito, porque suas orações são despertadas pela Palavra de Deus.

Além disso, a Bíblia nos mostra pelo que orar. O profeta Daniel estava cativo na Babilônia. Certo dia, em sua leitura dos escritos do profeta Jeremias, percebeu que o tempo de cativeiro anunciado por Deus estava chegando ao fim. Imediatamente, então, começou a orar e jejuar, suplicando a Deus que cumprisse sua promessa e levasse os judeus de volta à terra prometida (Dn 9.2-3).

Muitos crentes, durante o tempo que reservaram para suas devocionais, ficam sem saber o que orar, ou que pedidos encaminhar a Deus. A leitura das Escrituras nos orienta sobre o que devemos orar. Elas nos mostram o que precisamos pedir, que pecados devemos confessar e pelo que devemos interceder. Crentes que oram tendo como base a leitura das Escrituras têm uma vida de oração mais eficiente.

Por fim, ler a Bíblia produz em nós a atitude certa para orar. Conforme expressa o Catecismo Maior de Westminster: "O Espírito de Deus torna a leitura, e especialmente a pregação da Palavra, um meio eficaz para iluminar, convencer e humilhar os pecadores".[6] Esse estado espiritual de quebrantamento, produzido pelo Espírito através da Palavra, é aquele requerido por Deus para orarmos.

Deus prometeu atender as orações dos quebrantados de coração e rejeitar os arrogantes e soberbos de espírito. A leitura da Bíblia é usada pelo Espírito Santo para nos humilhar, para quebrantar nosso coração e, assim, nos levar a orar corretamente. Uma ilustração desse ponto é o registro da reação do povo de Israel à leitura do escriba Esdras da Palavra de Deus, quando retornaram do cativeiro. Lemos que o povo se reuniu e que Esdras "ficou de frente para a praça, junto à porta das Águas, desde o amanhecer até o meio-dia, e leu em voz

---

[6] Resposta à pergunta 155, "Como a Palavra se torna eficaz para a salvação?".

alta para todos que podiam entender. Todo o povo ouviu com atenção a leitura do Livro da Lei" (Ne 8.3). O efeito da leitura foi tremendo: "Todo o povo chorava enquanto ouvia as palavras da Lei" (Ne 8.9).

A leitura da Bíblia nos toca intimamente, uma vez que ela é a Palavra de Deus, instrumento do Espírito Santo para falar a nosso coração. Por isso é tão importante ler as Escrituras em oração. Sua leitura nos prepara para orar.

A respeito de como se deve ler a Palavra de Deus, o Catecismo Maior de Westminster diz ainda: "As Santas Escrituras devem ser lidas com um alto e reverente respeito [...] com meditação, aplicação, abnegação e oração".[7] Os autores do Catecismo, pastores reformados comprometidos com o princípio *Sola Scriptura* e com uma vida de piedade, sabiam que leitura bíblica e oração caminham juntas. Notemos que eles associam a leitura da Palavra com meditação, aplicação, abnegação e oração. Durante o período dos Pais da Igreja, havia se desenvolvido um método de leitura da Bíblia chamado *lectio divina*, que mais tarde se tornaria prática nos mosteiros beneditinos. Esse método apresentava quatro etapas. A primeira era a leitura atenciosa e repetida das Escrituras, até se sentir tocado pelo texto. A segunda era a meditação, que, através da reflexão sobre o que fora lido, visava a escutar a voz de Deus. A terceira era a oração, momento em que o fiel responde a Deus, em confissão, louvor e intercessão. A quarta era a contemplação da grandeza de Deus, mediante a adoração silenciosa.

Ainda que partisse de uma relação essencial entre a Palavra e a oração, esse método foi distorcido nos mosteiros, durante a Idade Média. Experiências com Maria e os santos, meditação

---

[7] Resposta à pergunta 157, "como a Palavra de Deus deve ser lida?".

sobre as glórias de Maria, o ouvir "vozes", tudo isso levou os reformadores a rejeitar aquele método, mantendo, porém, o que consideraram essencial: ler a Bíblia praticando a meditação, a aplicação, a abnegação e a oração.

Com base nisso, vejamos uma sugestão de como ler a Bíblia e orar diariamente. Primeiro, tente separar um tempo, de acordo com suas possibilidades, para ficar a sós com Deus. Segundo, ore pedindo a Deus que abençoe e ilumine você durante esse tempo. Terceiro, leia sua Bíblia, um ou dois capítulos, conforme o tempo de que puder dispor. O ideal é seguir algum plano regular de leitura bíblica. Quarto, medite no que leu. O que a passagem lida ensina sobre Deus? Sobre Cristo? Sobre nós e os outros? Quinto, ore a Deus de acordo com o que você aprendeu durante a leitura: adore o Senhor, confesse seus pecados, interceda pelos outros, apresente suas necessidades ao Senhor. Sexto, escreva as aplicações práticas, aquilo que você percebeu que precisa fazer, as mudanças necessárias em sua vida, as pessoas com quem precisa falar, etc.

Outra sugestão de devocional diária é orar cada versículo lido. Leia o versículo, escutando a Palavra de Deus em seu coração, e responda em oração. Por exemplo, após ler Salmos 23.1, "O Senhor é o meu pastor, e nada me faltará", responda adorando a Deus pela sua providência, colocando diante dele o que você sente estar faltando, e pedindo que ele abençoe alguma pessoa conhecida que esteja em grande necessidade. Proceda assim no restante do salmo, orando a cada versículo.

Recentemente escutei uma mensagem de R. C. Sproul, em que ele dizia costumar usar os Dez Mandamentos, o Sermão do Monte e a Oração do Pai-Nosso como orientação para suas orações diárias. Aqui vale mencionar mais uma vez o

Catecismo Maior de Westminster: "Toda a Palavra de Deus é útil para nos dirigir na prática da oração".[8]

Nossa oração é que essa reflexão tenha despertado você para uma vida regular, disciplinada e intensa de leitura da Bíblia e oração.

Para refletir

1. Você tem separado tempo diariamente para ler a Bíblia e orar?
2. Suas orações são guiadas pelo ensino da Bíblia?
3. Em que aspectos seu dia é influenciado pela leitura da Bíblia e pela oração?

[8] Resposta à pergunta 186, "Que regra Deus nos deu para nos dirigir na prática da oração?".

11
A Oração do Pai-Nosso

Também conhecida como Oração do Senhor e ensinada pelo Senhor Jesus a seus discípulos, essa oração é a mais conhecida de toda a Bíblia. Mas, apesar de tão conhecida, existem muitos equívocos quanto ao porquê de ela nos ter sido dada, assim como ao seu uso adequado.

O Pai-Nosso é uma oração que o Senhor ensinou durante o Sermão do Monte, após ter instruído os discípulos sobre como dar esmolas e antes de ensinar-lhes como jejuar. Depois de duas orientações sobre como orar, o Senhor prescreveu uma oração-modelo com o objetivo de guiar todas as demais orações (Mt 6.9-13). O Evangelho de Lucas nos acrescenta que esse ensino foi motivado pelo pedido dos discípulos a Jesus: "Senhor, ensine-nos a orar, como João ensinou aos discípulos dele" (Lc 11.1-4).

Ao ensinar sobre oração, o Catecismo Maior de Westminster diz que a regra especial para nos guiar é a Oração do Senhor, não só para direcionamento, mas também como modelo para orar.[9] Feita da maneira correta, ela pode ser usada, ainda, como uma oração propriamente dita.[10] Os autores do Catecismo estavam reagindo aos abusos cometidos na Idade Média, quando a Oração do Senhor acabou se tornando uma

---

[9] Resposta à pergunta 186, "Que regra Deus nos deu para nos dirigir na prática da oração?".
[10] Resposta à pergunta 187, "Como a oração do Senhor deve ser usada?".

reza, ao lado da ave-maria. Ambas eram repetidas como parte do rosário, ou do terço, e como penitência pelos pecados, prática existente até hoje na igreja romana.

Os reformadores não aboliram o Pai-Nosso como oração individual ou coletiva, mas advertiram para a necessidade de fazê-la da maneira correta. Infelizmente, por causa dos abusos cometidos pela igreja católica, os evangélicos raramente oram em seus cultos a Oração do Senhor.

Vejamos, agora, o que devemos ter em mente a respeito dessa oração. Antes de ensiná-la aos discípulos, Jesus os instrui a orar sem buscar a glória humana (Mt 6.5-6). Uma das expressões de piedade dos judeus no Antigo Testamento e na época de Jesus era a oração pública. Conforme vimos anteriormente, o judeu costumava orar três vezes ao dia. Temos o exemplo de Daniel (Dn 6.10) e dos apóstolos Pedro e João, que, mesmo depois de crentes em Jesus, mantiveram a prática judaica de subir ao templo três vezes ao dia para orar (At 3.1).

Os fariseus, uma das seitas de práticas mais estritas do judaísmo naquela época, valorizavam muito as orações públicas. Alguns dentre eles, entretanto, aproveitavam tais momentos de oração para exibir, nas sinagogas e nas esquinas das praças, seu nível "espiritual", e assim obter elogios das pessoas. Jesus chama os fariseus de hipócritas, porque, embora se mostrassem piedosos diante das pessoas, seu coração não era reto diante de Deus. Jesus adverte seus discípulos para não procederem dessa maneira, porque a recompensa nada mais é que o elogio humano (Mt 6.5).

Em contraste, os discípulos de Jesus deveriam buscar a presença de Deus sem nenhuma ostentação, se necessário trancados no quarto, e orar ao Pai celeste, que conhece todas as coisas, inclusive o mais recôndito de nosso coração. O Senhor

Jesus promete que Deus Pai, que ouve em secreto, atenderá a oração assim feita (Mt 6.6).

Não pensemos, contudo, que o Senhor Jesus esteja proibindo orações públicas e recomendando apenas orações secretas. O que ele está combatendo é a hipocrisia daqueles que procuram impressionar os outros nas orações públicas.

Em seguida, Jesus exorta os discípulos a evitar em suas orações a prática da repetição, como era costume entre os pagãos. Eles acreditavam que entoando orações intermináveis seriam ouvidos por seus deuses (Mt 6.7). A repetição sistemática na oração é insinuar que Deus não é suficientemente inteligente, ou que é surdo, ou ainda que só é persuadido por pedidos reiterados.

Todas essas concepções não condizem com o quadro que a Bíblia nos apresenta do caráter de nosso Deus. É o que Jesus explica em seguida: antes mesmo de pedirmos, nosso Pai já sabe do que precisamos (Mt 6.8). É suficiente apresentar-lhe, simples e diretamente, nossas necessidades.

É importante ressaltar que o Senhor Jesus não nos proíbe de perseverar na oração. Perseverar na oração é diferente de fazer vãs repetições. Aquele que verdadeiramente persevera na oração investe tempo argumentando com Deus, suplicando e intercedendo de coração diante dele, em vez de gastar tempo repetindo mecanicamente uma oração fixa. Para ajudar os discípulos a orarem corretamente, o Senhor lhes oferece um modelo do que seria a oração a ser feita ao Pai: "Portanto, orem da seguinte forma..." (Mt 6.9).

> Pai nosso que estás no céu,
>   santificado seja o teu nome.
> Venha o teu reino.
>   Seja feita a tua vontade,

assim na terra como no céu.
Dá-nos hoje o pão para este dia,
   e perdoa nossas dívidas,
   assim como perdoamos os nossos devedores.
E não nos deixes cair em tentação,
   mas livra-nos do mal.
Pois teu é o reino, o poder e a glória para sempre. Amém.

Mateus 6.9-13

A oração prescrita tem duas partes. Na primeira, há três pedidos relacionados com Deus. Na segunda, três relacionados com nossas necessidades, terminando com uma doxologia aplicável a toda oração.

Os três primeiros pedidos da oração que Jesus ensinou a seus discípulos estão relacionados com as coisas de Deus. Os discípulos deveriam se dirigir a Deus como Pai e reconhecer que, como tal, ele cuida de seus filhos e lhes provê todo o necessário. Contudo, esse pai é celestial. Ele está nos céus, o que indica sua majestade e glória, além de seu poder para nos conceder o que nossos pais terrenos não conseguem.

Nosso Deus tem nome. Não se trata de uma força impessoal. Ele é um Deus pessoal e revelou seu nome a Moisés: *Yahweh*, "Eu Sou o que Sou" (Êx 3.14). Seu nome revela e expressa não apenas sua eternidade, mas também sua santidade. Jesus nos ensinou a pedir ao Pai que seu nome fosse santificado. Devemos, portanto, pedir que esse nome seja santificado em nossa vida, atos, pensamentos, ocupações e em tudo que fizermos.

Esse primeiro pedido, na verdade, é para que sejamos santos como Deus é santo, e assim ele seja glorificado no mundo. "Santificado seja o teu nome" significa simplesmente "glorificado seja o teu nome" neste mundo, através de nossa vida santa. É isso que devemos pedir em oração.

Além disso, nosso Deus é rei. Seu reino existe desde toda a eternidade. Contudo, quando iniciou seu ministério aqui no mundo, o Senhor pregou dizendo: "Enfim chegou o tempo prometido! [...]. O reino de Deus está próximo! Arrependam-se e creiam nas boas-novas!" (Mc 1.15). Estar "próximo" significa estar tão perto como se já tivesse chegado, já estivesse a nosso alcance. É assim que mais tarde Jesus se refere ao reino: "O reino de Deus *já chegou* até vocês" (Mt 12.28; Lc 11.20).

Na verdade, o reino de Deus já estava entre a humanidade desde o início da história da redenção, no paraíso. Contudo, a encarnação, morte e ressurreição de Cristo, seguidas do derramar do Espírito no Pentecostes, marcam o início de sua fase final, de sua implantação definitiva neste mundo. Nesse sentido, o reino de Deus ainda é vindouro. Ele já está entre nós, mas ainda não completamente.

Jesus deseja que seus discípulos orem para que o reino de Deus venha, para que a obra da redenção seja completa, para que o Senhor retorne em glória, inaugurando novos céus e nova terra. Significa que devemos orar por missões e pela evangelização do mundo, pois é através de sua Palavra que nosso Deus exerce seu domínio sobre o coração das pessoas.

Nosso Deus também tem uma vontade — um querer, um propósito, um objetivo — para sua criação e para a humanidade que fez. Essa vontade é boa, perfeita e agradável. Jesus nos ensinou a pedir que ela seja feita aqui neste mundo, da mesma forma que o é nos céus, onde os anjos e os crentes que já morreram servem a Deus de maneira perfeita, realizando plenamente sua vontade. Assim como anjos e justos realizam a vontade de Deus nos céus, o Senhor Jesus deseja que essa vontade seja realizada na terra. Isso equivale a dizer que devo orar para que a vontade de Deus se cumpra em mim, em minha família, minha igreja, meu trabalho, acima da minha própria vontade.

Depois de ensinar os discípulos a orarem para que o nome de Deus seja santificado, seu reino venha e sua vontade seja feita, o Senhor Jesus os ensina a pedir pelo que é necessário à existência deles, não somente física, mas também espiritual. Atinemos para a importância da sequência dos pedidos. Primeiro, oramos pelas coisas de Deus, seu nome, seu reino e sua vontade. Somente depois é que devemos nos ocupar com nossas coisas. Essa sequência prioriza a busca pela glória de Deus e coloca nossos interesses em segundo lugar.

Vejamos agora o que o Senhor Jesus nos ensinou a pedir. O pão representa o alimento mais básico de que precisamos para subsistir. Entre os judeus, o pão era tão essencial como é para nós o feijão com arroz. Jesus se refere a ele como "o pão nosso", isto é, aquele pão que Deus prometeu que nos daria para o sustento, e o faria a "cada dia". Portanto, devemos pedir nosso pão para hoje, e não o pão para amanhã. Devemos confiar que amanhã Deus haverá de supri-lo. Ao orar pelo pão diário, devemos nos lembrar daqueles que passam necessidade. Mais que isso: se pudermos, também devemos ajudá-los em seu sustento diário.

Além do pão diário, precisamos também pedir o perdão de nossas dívidas. "Dívidas", aqui, significa aquelas que contraímos com Deus ao quebrar sua lei pela desobediência, por pensamentos, palavras e atos. A santidade e a justiça de Deus nos declaram devedores e exigem a punição de cada pecado.

Ao nos ensinar a pedir perdão por nossas dívidas, o Senhor Jesus revela a disposição de nosso Pai celeste em perdoá-las. Embora Jesus não declare expressamente nessa passagem, fica claro, pelo restante de seu ensino e do ensino dos apóstolos, que esse perdão só é possível porque Jesus mesmo ofereceu-se voluntariamente na cruz como pagamento por nossas dívidas, de forma que o Pai pôde perdoá-las completamente.

Contudo, embora o perdão seja concedido com base na obra completa de Jesus Cristo, ele próprio ensina a seus discípulos que é necessário também perdoar os que os ofenderam e se tornaram devedores deles. O Senhor não está ensinando que o perdão de Deus de nossas dívidas está condicionado a nosso perdão daqueles que pecaram contra nós. Isso equivaleria a salvação por obras. O melhor entendimento dessa passagem é que Deus não perdoará quem habitualmente se recusa a perdoar os outros, pois essa atitude de dureza de coração revela uma pessoa não convertida. Ao final da oração, o Senhor volta a tocar nesse ponto, dada sua importância. Veremos mais adiante a possível razão dessa ênfase.

Nosso Mestre certamente estava a par da dureza e arrogância do coração humano, e os judeus de sua época não eram exceção a essa regra. Talvez até fossem culpados em maior medida, considerando as interpretações equivocadas que faziam da lei de Moisés, no que diz respeito à condenação e ao castigo das pessoas que caíam em pecado, e considerando ainda seu desprezo por pecadores e pelos que não andavam estritamente na lei.

É também importante ressaltar que o perdão de pecados que devemos pedir diariamente está relacionado com nossa santificação e a manutenção de nossa comunhão com o Pai. Ele nos perdoou de uma vez por todas em Jesus Cristo quando nos arrependemos e cremos no evangelho. Diariamente, contudo, ele nos administra esse perdão através de nossas orações, para que mantenhamos comunhão com ele (ver 1Jo 1.5-10).

Não basta, contudo, pedir perdão pelos pecados cometidos no passado. Devemos também nos prevenir para não pecar no futuro. Por isso, Jesus ensina seus discípulos a pedirem proteção contra o mal. No original grego, o pedido é para que Deus não nos *induza* à tentação. A grande maioria das traduções, entretanto, preferiu "e não nos *deixes cair* em tentação", para evitar dar a ideia de que Deus induz as pessoas a pecar. Jesus não nos ensina a pedir que Deus evite que sejamos tentados. Isso sempre ocorrerá. Que ele nos ajude a não pecar, quando a tentação nos sobrevier (ver 1Co 10.13)!

A segunda parte desse pedido é que Deus nos livre do mal, isto é, de tentações maiores que nossas forças, como as trazidas pela corrupção da carne, pelo mundo e pelo diabo. (Lembremos que ele é chamado de "maligno", a mesma palavra aqui traduzida como "mal".) Sem a ajuda de nosso Deus, não temos como resistir às tentações. Portanto, devemos orar diariamente, suplicando seu auxílio quando o mal nos sobrevier.

A oração termina com uma breve doxologia, que vem entre colchetes em algumas traduções por não constar em alguns manuscritos gregos mais antigos. Contudo, nada há nesse breve trecho que contrarie o conteúdo da oração do Senhor. Nela vemos por que nosso Pai celestial é capaz de atender nossos pedidos: dele é o reino, o poder e a glória eternamente.

Como já dissemos, depois de apresentar o modelo de oração, o Senhor Jesus retorna ao ponto que deseja enfatizar: a necessidade de perdoarmos os outros como condição para sermos atendidos (6.14-15). Ele já havia tratado desse assunto quando nos ensinou a orar pelo perdão de nossos pecados (6.12). A razão para essa ênfase pode estar no fato de que todos os pedidos mencionados na oração-modelo eram relativamente comuns entre os judeus, à exceção deste ponto: a necessidade absoluta de perdoarmos aqueles que nos ofendem.

Assim, ao pedir em oração ao Pai celestial o perdão por nossos pecados, devemos nos assegurar de já termos perdoado aquelas pessoas que nos feriram ou caluniaram, que mentiram contra nós ou nos causaram qualquer tipo de mal. Isso nos deixará tranquilos para pedir que nosso Pai também perdoe as ofensas que cometemos.

PARA REFLETIR

1. Você precisa perdoar alguém antes de pedir perdão a Deus em oração pelos próprios pecados?
2. Que pedidos recebem prioridade em suas orações?
3. Você confia que o Pai celeste escuta seus pedidos e os atende? Acha que eles estão de acordo com a vontade revelada de Deus?

12
Mundanismo e oração

Vimos que a oração é um dever e um privilégio do crente, e que ele deve orar sem cessar, de várias formas, por todos os irmãos, ocasionalmente com jejuns e seguindo o modelo do Pai-Nosso. Agora, trataremos de um dos maiores inimigos de uma vida de oração frutífera e eficaz.

Dentre os muitos inimigos da oração mencionados na Bíblia, destacamos o amor aos prazeres carnais. Com isso nos referimos ao apego, anseio, esforço e determinação do cristão em satisfazer os próprios desejos, que nem sempre são corretos e condizentes com a vontade de Deus. Tiago faz menção à "amizade com o mundo" (Tg 4.4), que aqui chamaremos de *mundanismo*.

Para muitos cristãos, ser mundano é frequentar bares, usar tatuagem, ouvir *rock* e ter uma vida imoral. Entretanto, alguém pode usar terno e gravata, ter uma vida moral irrepreensível e ainda assim estar dominado pela "amizade com o mundo", ao buscar poder e reconhecimento. Era esse o caso dos leitores originais da carta de Tiago. Aqui, usaremos como texto-base o trecho em que esse assunto é abordado, Tiago 4.1-10.

No capítulo 3 de sua carta, Tiago havia confrontado seus leitores devido às confusões, divisões e conflitos gerados pela disputa de posições de destaque na igreja. Agora, no capítulo 4, ele expõe a origem dessas guerras (4.1), mostra o efeito danoso da amizade com o mundo na vida cristã (4.2-5), especialmente na oração (4.2b-3), e termina esclarecendo como podemos renovar o espírito de oração (4.6-10).

Cada crente deve examinar seu coração a fim de avaliar se o mundanismo está ali enraizado, afetando, sutil ou explicitamente, seus desejos e suas orações. É importante saber como tratar esse mal, e a carta de Tiago nos ajuda a combatê-lo.

De acordo com Tiago, as guerras e contendas entre os cristãos tinham como origem os prazeres que guerreavam na "carne" (4.1, RA). "Carne", nessa passagem, significa nossa natureza pecaminosa, herdada de nossos pais. Essa "carne" tem fortes apetites por prazeres ilícitos, e a busca por eles dá origem às guerras e contendas. No contexto da carta, "prazeres" se refere à busca pelo poder e pela primazia entre os mestres da igreja (ver 3.1-2,13-18), mas, em um contexto mais amplo, podem referir-se ao desejo por sexo ilícito, dinheiro, violência etc. (ver as obras da carne em Gl 5.19-21).

Esses prazeres, ensina Tiago, guerreiam dentro de nós, ou seja, lutam em busca de supremacia. Como um exército, os prazeres procuram conquistar nosso coração, guerreando contra a consciência, a fé e os valores cristãos. É um exército de maus desejos. Paulo se referiu a esse conflito como a luta entre as obras da carne e o fruto do Espírito (Gl 5.16-23; ver 1Pe 2.11: "lutam contra a alma").

Podemos concordar que fatores como pobreza, doenças ou falta de educação formal exercem de alguma forma um papel nas guerras e desavenças entre as pessoas e mesmo entre as nações. Mas no final a origem de todo conflito é o coração corrompido e decaído do ser humano. Assim, nunca poderá haver uma solução final e eficaz para as guerras e contendas senão na vinda do Senhor Jesus Cristo, quando então o mal será vencido e experimentaremos a plena libertação do pecado e de seus efeitos. Ou seja, enquanto estivermos neste mundo, teremos de lutar contra os desejos impuros, imorais e ilícitos, e vencê-los com a graça de Deus.

Os prazeres pecaminosos têm um efeito devastador na vida do crente e daqueles ao seu redor: guerras, contendas, cobiça, mortes, inveja, lutas etc. (4.1-2a). Nas igrejas para as quais Tiago escreve, muitos desejavam ser mestres. Mais que isso: almejavam posições de autoridade e primazia, o que resultou em contendas entre eles. Nas palavras de Tiago:

> Mas, se em seu coração há inveja amarga e ambição egoísta, não encubram a verdade com vanglórias e mentiras. Porque essas coisas não são a espécie de sabedoria que vem do alto; antes, são terrenas, mundanas e demoníacas. Pois onde há inveja e ambição egoísta, também há confusão e males de todo tipo.
>
> Tiago 3.14-16

O mundanismo traz efeitos terríveis, e um dos piores é o impacto negativo nas orações. Os que vivem em lutas e contendas, buscando satisfazer os prazeres da carne, terão suas orações profundamente afetadas.

Vejamos, agora, como o mundanismo afeta a vida de oração. Vimos que a oração exerce um papel crucial na vida do crente e da igreja. É perfeitamente lógico, portanto, que ela esteja entre as primeiras atividades cristãs alcançadas e prejudicadas pelo mundanismo. O primeiro efeito que ele produz é que a busca por prazeres do mundo faz cessar a vida de oração: "... não pedem" (4.2b). Os cristãos a quem Tiago escreve deveriam orar e pedir a Deus o que tão fervorosamente almejavam, aguardando que ele lhes concedesse o que pediam, em vez de se lançarem em uma busca desenfreada por satisfazer os próprios desejos. Todavia, os próprios desejos matavam a disposição para orar. Uma das razões de muitos crentes não sentirem vontade de orar é que o mundanismo está apagando o espírito de oração.

O segundo efeito é que as brigas e contendas levam o crente a orar mal: "E, quando pedem, não recebem, pois seus motivos são errados" (4.3). Aqueles que são mundanos raramente oram e, quando oram, o fazem por motivos errados. Existe uma maneira correta de orar, como já vimos. Embora a oração seja algo natural para o convertido, ela precisa de cuidados e orientação para que sempre seja feita conforme o desejo de Deus. Pessoas que cobiçam o que não devem e se esforçam para obtê-lo, inclusive da forma errada, buscam de Deus somente a satisfação de suas ambições.

O terceiro é que não pedir ou pedir mal faz que nada tenhamos da parte de Deus: "não têm o que desejam" (4.2b). Deus não responde a orações marcadas pelo egoísmo desenfreado. O Espírito Santo nos auxilia nas orações, mas apenas quando feitas pelo motivo certo, buscando fazer a vontade de Deus. Aqueles que oram visando exclusivamente ao benefício próprio nada recebem de Deus.

O motivo é que eles pedem, apenas, para seu prazer (4.3). Algumas traduções trazem "para esbanjarem em seus prazeres" (NAA), o que nesse contexto significa usar, gastar, desperdiçar. Essa declaração nos leva a examinar o que está por trás do que pedimos a Deus. Qual é minha motivação para ter um cônjuge? Para me casar? Para ascender na carreira? Para buscar melhoria financeira? Note que essas aspirações são lícitas. O problema está em buscá-las tendo como foco a nós mesmos, em vez da glória de Deus e do benefício de outros. Ao pedir a Deus que lhe permita casar-se, sua motivação não deve ser apenas acabar com sua solidão, mas ter o privilégio de fazer outra pessoa feliz. Você deveria pedir a Deus um aumento salarial não somente para comprar aquele carro que tanto deseja, mas para poder ajudar pessoas que você sabe estarem passando por graves problemas financeiros, que comprometem até mesmo o suprimento do alimento diário.

O quarto efeito é que o mundanismo nos coloca como inimigos de Deus (4.4-5). Tiago repreende os cristãos a quem escreve por não entenderem um ponto básico: ser amigo do mundo é o mesmo que tornar-se inimigo de Deus. A amizade com o mundo significa desejar aquilo que a humanidade caída considera mais precioso: poder, prestígio, prazeres (ver 1Jo 2.15-17). Significa querer essas coisas a ponto de lutar até mesmo contra seus irmãos em Cristo. É assim que as pessoas do mundo vivem. E viver dessa forma é ter amizade com o mundo.

A amizade com o mundo nos torna inimigos de Deus porque o mundo representa os valores e o estilo de vida da humanidade, que virou as costas para Deus desde a Queda, no jardim do Éden. Portanto, quando um cristão se torna amigo do mundo, comete adultério espiritual. Tornam-se "adúlteros" (4.4), porque quebraram os votos de lealdade e amor a Deus, feitos na conversão, no batismo e na profissão de fé. É como o cônjuge infiel que ama o inimigo do outro cônjuge e com ele trai seu par. Não é de admirar, portanto, que essas pessoas nada recebam da parte de Deus como resposta a suas orações. Terrível coisa é ter Deus como nosso inimigo.

Os cristãos mundanos não estão levando a sério o que a Palavra de Deus adverte: que nosso espírito é cheio de fortes paixões. Tiago cita do Antigo Testamento a seguinte declaração: "O espírito que Deus pôs em nós está cheio de desejos violentos" (4.5, NTLH). A maioria das traduções entende que Tiago está se referindo ao Espírito de Deus e a seu sentimento de ciúme (zelo) por nós. Contudo, é possível traduzir a frase grega conforme a NTLH o fez, o que nos parece mais de acordo com o contexto e explica melhor o versículo 6 que vem em seguida.

Segundo Tiago 4.5, na tradução NTLH, o espírito que nos foi dado por Deus na criação (Gn 2.7) passou a ter paixões violentas por aquilo que Deus desaprova, após o pecado de nossos pais (Gn 3). Somos guiados por esses desejos, que se manifestam de forma violenta. Entretanto, a graça que Deus nos concede é ainda mais forte que os apetites violentos de nosso espírito manchado pelo pecado: "Contudo, ele generosamente nos concede graça" (4.6). Sim, Deus nos concede graça maior que os desejos da carne, e por meio dessa graça, dada aos que se humilham diante dele (4.6b, citando Pv 3.34), podemos vencer o mundanismo.

Portanto, o que o crente deve fazer? Aquele que se conscientizou de que, por viver uma vida mundana, suas orações não têm sido atendidas, mas que ainda teme e treme diante do Senhor, deve basicamente se humilhar diante de Deus e se arrepender de seu mundanismo (4.7-10). Tiago faz onze determinações nessa passagem:

- Submeter-se a Deus, dizendo-lhe que sua vontade seja feita, em detrimento de nossos desejos (4.7).
- Resistir ao diabo, que está por trás de tudo isso e atiça as ambições de nosso espírito (4.7).
- Aproximar-se de Deus, em oração humilde, buscando-o com sinceridade (4.8).
- Lavar as mãos, ou seja, confessar os pecados e pedir perdão, à semelhança dos rituais de purificação do Antigo Testamento (4.8).

- Purificar o coração, arrependendo-se das motivações erradas na oração (4.8).
- Afligir-se, ou seja, sentir profundo pesar pelos pecados cometidos, especialmente o mundanismo (4.9).
- Lamentar, perante Deus, pelos pecados cometidos (4.9).
- Chorar por sua situação de miséria e culpa em razão de ter-se tornado inimigo de Deus (4.9).
- Converter riso em pranto, e atitudes como jejum são adequadas aqui (4.9).
- Converter alegria em tristeza (4.9).
- Humilhar-se na presença do Senhor, sem condicionantes, totalmente submissos (4.10).

Embora algumas determinações sejam muito parecidas entre si, o quadro final é o de um cristão em total quebrantamento e arrependimento diante de Deus, plenamente consciente de ter ofendido ao Senhor devido a seus desejos mundanos e aos conflitos e guerras provocados nesse intento. Nada menos que um arrependimento radical e profundo como esse poderá restaurar a comunhão plena com nosso Deus, bem como a vida de oração.

Pela misericórdia de Deus, Tiago também acrescenta que o Senhor atenderá nossas orações, se nos quebrantarmos, humildes, diante dele. Temos aqui três promessas. Em primeiro lugar, que o diabo fugirá de nós (4.7), e é ele quem nos tenta, acusa e perturba. Segundo, que Deus se aproximará de nós (4.8), ouvirá nossas orações e nos dará resposta. E, terceiro, que Deus nos exaltará, respondendo a nossas orações e nos dando muito mais do que pedimos e pensamos (4.10).

Para refletir

1. Sua vida é marcada por guerras, contendas e lutas com as pessoas? Em geral, essa discórdia se dá por motivos materiais?
2. Você pode afirmar que Deus ouve e atende suas orações?
3. Que fatores poderiam estar colocando você como infiel diante de Deus e afetando sua oração?
4. Você demonstra uma atitude de arrependimento e quebrantamento diante de Deus por seus pecados e orações egoístas?

13
Oração e batalha espiritual

O chamado movimento de "batalha espiritual" surgiu há algumas décadas no cenário cristão mundial, lançando raízes profundas em todas as igrejas evangélicas. Basicamente, esse movimento enfatiza o conflito dos cristãos contra o diabo e os demônios, e ao fazê-lo sem considerar outras doutrinas igualmente importantes e relacionadas com o conflito espiritual, o movimento acabou adotando práticas e ensinos totalmente estranhos ao cristianismo histórico. Cultos de expulsão de demônios, unção de objetos, quebra de maldições hereditárias e outras práticas em tudo diferentes das encontradas na Bíblia foram sucedendo-se. Possivelmente, a área mais afetada pelo movimento tenha sido a oração. Conceitos como oração de guerra, de quebra de maldições, para determinar a Deus o que fazer, para amarrar o diabo e repreender demônios, para decretar realidades, e outros tipos semelhantes, foram surgindo ao longo do tempo.

Notemos, porém, que o conceito de guerra espiritual é bíblico, como o mostram os autores do Novo Testamento ao se referirem ao conflito dos cristãos contra as hostes espirituais do mal (Ef 6.10-20; 1Pe 5.8-9). O problema com o movimento de batalha espiritual está no destaque e na ênfase sobre essa prática cristã em detrimento de outras doutrinas, produzindo uma teologia desequilibrada e, portanto, vulnerável a todo tipo de pragmatismo e misticismo.

Longe de ser uma arma para guerrear com os demônios ou

um instrumento para reivindicar do Senhor o que queremos, a oração é o meio pelo qual os filhos de Deus buscam o Pai do céu e a ele se entregam, junto com seus problemas e aflições, na expectativa de que Deus lhes responda dentro de sua mais santa e agradável vontade.

Vejamos, primeiramente, alguns conceitos equivocados do movimento de batalha espiritual em relação à oração, e bem difundidos no meio evangélico e até mesmo entre os cristãos de igrejas históricas. Em seguida, faremos uma análise crítica à luz das Escrituras e terminaremos com algumas aplicações práticas.

Demonização das estruturas e a "oração de guerra". O conceito de "demonização" das estruturas socioeconômicas e políticas de um país exerce importante papel na teologia do movimento de batalha espiritual. Para seus adeptos, as cidades são habitação do mal pessoal, do mal sistêmico e dos principados e potestades. Fala-se, por exemplo, dos demônios que controlam as estruturas sociais do Brasil. Em outras palavras, os demônios não se limitariam a demonizar e oprimir pessoas, mas também estruturas sociopolíticas, como o funcionalismo público, a legislação, os decretos e a dinâmica da economia.

Para seus defensores, é crucial que a igreja, uma vez que tenha feito um mapeamento espiritual dos locais onde os demônios estão entrincheirados, *determine* pela oração, em alta voz e com fé, a queda das fortalezas arraigadas nessas regiões e estruturas, declarando em nome de Jesus que aquela fortaleza *está* derrubada e que aquele poder maligno *está* anulado. Pela "palavra da fé" — expressão popularizada pela teologia da prosperidade — os crentes determinam a vitória de Cristo sobre a região identificada, declarando, por fim, que tal região pertence a Cristo. Esse tipo de oração tem sido chamado de "oração de guerra".

Nesse conceito, a oração funciona como uma arma, mediante a qual a igreja pode neutralizar a ação dos demônios. É essencial então que, nessa oração, se mencione o nome das potestades da área, e que se determine que "estão amarradas" em nome de Jesus. No entanto, por mais espiritual que possa parecer, esse conceito carece de fundamento bíblico. Não encontramos um único caso nas Escrituras, quer por exemplo, quer por preceito. Nem sequer sabemos o nome dos demônios, à exceção do nome de seu líder, Satanás.

Amarrar demônios. A igreja pode "amarrar", pela oração de guerra, não apenas os demônios que controlam as estruturas e os sistemas sociais, mas particularmente os espíritos malignos supostamente responsáveis por desvios morais de comportamento, como o demônio da embriaguez, o demônio do vício ou o demônio das drogas. O método consiste em vocalizar a ordem: "Eu o amarro em nome de Jesus!" para então declarar que o demônio está "amarrado". Essa oração libertaria a pessoa do poder dos demônios que a mantinham escravizada a práticas ilícitas.

Essa prática de "amarrar" demônios pela oração se tornou tão popular que até adesivos com a declaração "está amarrado!" são colados no vidro traseiro de carros. Contudo, a exemplo de outras práticas de oração adotadas pelo movimento, não encontramos nenhum fundamento bíblico para essa modalidade de oração.

Enfrentar os "espíritos territoriais". Um conceito fundamental na teologia da batalha espiritual é a crença de que existem espíritos malignos atuando nas unidades político-geográficas. Assim, para cada país, estado, cidade, bairro e até mesmo casa, existem demônios designados por Satanás para dominar aquela região e atrapalhar a obra de evangelização. Logo, é necessário confrontar, pela oração, esses espíritos territoriais e desalojá-los, a fim de que a igreja possa atuar efetivamente. O campo do confronto são as "regiões celestiais", o mundo invisível que nos cerca. A oração não somente funciona como arma para agredir tais espíritos como também movimenta as hostes angelicais para lhes resistir. Quanto mais oramos, mais os anjos vêm combater os demônios e se fortalecem.

Mais uma vez, contudo, é preocupante a falta de evidências bíblicas para essa tecnologia espiritual.

Dirigir-se aos demônios nas orações. Certa ocasião fui convidado para pregar em uma igreja presbiteriana conhecida por sua ortodoxia. Enquanto o grupo musical cantava louvores a Deus, o dirigente, repentinamente, começou a orar. Para minha surpresa, em meio à oração, ele se dirigiu a Satanás com estas palavras: "Satanás, você não tem lugar aqui, saia deste recinto, em nome de Jesus". Fiquei surpreso com o que vi, pois se tratava de um crente instruído na Palavra de Deus e na boa teologia. Ele não poderia usar a oração para se dirigir ao diabo, uma vez que a oração é sobretudo o meio para nos dirigirmos ao nosso Pai celestial, mediante Jesus Cristo. Por isso, deve ser sempre dirigida a Deus, e jamais ao diabo, ainda que seja para repreendê-lo. Entretanto, por influência do movimento de batalha espiritual, essa prática de falar com o diabo em oração tem sido muito comum, mesmo em igrejas históricas.

Oração de concordância. Como parte da estratégia do movimento de batalha espiritual, tem sido ensinada e praticada a "oração de concordância". Baseada nas palavras de Jesus em Mateus 18.19: "Também lhes digo que, se dois de vocês concordarem aqui na terra a respeito de qualquer coisa que pedirem, meu Pai, no céu, os atenderá", esse conceito de oração estimula os crentes a, juntos, fazerem o mesmo pedido a Deus, sob a garantia de serem atendidos. A oração de concordância é usada na guerra contra demônios e para a obtenção de bênçãos materiais.

A passagem de Mateus, contudo, deve ser lida em seu contexto. Essa promessa de Jesus está relacionada com o processo disciplinar de um irmão faltoso, ou seja, quando a igreja age conjuntamente conforme suas instruções, aquilo que ela fizer na terra em termos de disciplina será ratificado por Deus, nos céus (ver Mt 18.15-18). O fato de dois ou três crentes concordarem em fazer o mesmo pedido a Deus não garante, portanto, sua obtenção. Como já vimos, a resposta positiva de Deus ao que pedimos depende de várias condições. A concordância dos pedintes certamente não é uma delas.

Dito isso, façamos uma breve reflexão acerca das práticas do movimento de batalha espiritual sobre a oração. Ao examinar seus conceitos, surpreendemo-nos com a falta de embasamento bíblico. Quase todas as orientações e instruções sobre oração fundamentam-se nas experiências de seus líderes, e não em interpretação bíblica saudável.

Falta de base bíblica para as "orações de guerra". Em nenhum ponto da Bíblia é possível encontrar alguma recomendação à igreja de Cristo para, antes de evangelizar uma área, localizar espiritualmente concentrações de forças demoníacas e assim derrubar, pela oração, o "trono de Satanás". Tampouco encontramos orientação do Senhor Jesus ou de seus apóstolos, por preceito ou por exemplo, para que a igreja combata em oração e determine pela fé a queda de potestades malignas, supostamente alojadas nas estruturas sociais injustas e causadoras da corrupção de sistemas políticos e sociais. Ou para que se amarre o demônio do tabagismo, da bebedeira e das drogas.

Se esse é o caminho, por que o apóstolo Paulo, ou os demais apóstolos e presbíteros da igreja apostólica, não organizaram uma cruzada de oração e batalha espiritual contra a escravidão vil que predominava no império romano, ou contra a fúria assassina de alguns imperadores em relação aos cristãos?

Da mesma forma, não vemos nas Escrituras nenhuma passagem concedendo autoridade aos crentes para repreenderem as hostes malignas, por tratar-se de uma prerrogativa de Cristo e do Pai. Entretanto, podemos orar e dizer: "Ó Senhor, repreende Satanás, que procura perturbar a tua obra entre nós. Afasta suas tentações, tem misericórdia, livra-nos do mal". Não há problema em orar assim. Na realidade, essa oração é bem mais bíblica do que os decretos e determinações enunciados por alguns crentes.

Oração e armadura de Deus. Paulo ordena que os cristãos tomem a armadura de Deus e "orem no Espírito em todos os momentos e ocasiões" em favor de "todo o povo santo" (Ef 6.18). A armadura deve ser tomada, em oração, no Espírito. Muitos dos que têm sido influenciados pelas ideias do moderno movimento de batalha espiritual pensam na oração aqui descrita como um confronto de poder com as entidades espirituais, em nível cósmico. Entretanto, nem aqui, nem em lugar algum das Escrituras, é dito que os crentes devam, em suas orações, "amarrar", "declarar" a queda das fortalezas do diabo ou "decretar" a sua ruína.

A oração prescrita por Paulo em relação à guerra espiritual é simplesmente *intercessora* em favor do povo santo, os cristãos, e recomenda que persistamos nela. Essa é a verdadeira oração da batalha: quando intercedemos pelos soldados, quando intercedemos uns pelos outros, e quando o fazemos para que Deus não nos deixe cair em tentação, mas nos livre do mal.

Paulo ainda acrescenta: "E orem também *por mim*" (Ef 6.19). Ele estava preso, acorrentado, impedido de exercer livremente seu ministério entre os gentios (ver Ef 4.1; 6.20). Ele poderia ter dito aos crentes que orassem para que o diabo fosse repreendido, amarrado ou anulado. Mas não! Em vez disso, pediu que orassem por ele para que "Deus me conceda as palavras certas, para que eu possa explicar corajosamente o segredo revelado pelas boas-novas" (6.19). É com Paulo que temos de aprender a oração da batalha espiritual.

Amarrar o homem forte. Em certa ocasião, após expulsar um demônio, Jesus foi questionado pelos fariseus quanto à fonte de sua autoridade. Ele respondeu com uma parábola: ninguém pode entrar na casa do homem forte sem primeiro amarrá-lo; só então poderá saquear-lhe os bens. O ponto de Jesus é que ele tinha autoridade para expulsar demônios, pois já havia amarrado o principal deles, o "homem forte", e estava saqueando a sua casa, isto é, libertando as pessoas oprimidas e escravizadas por Satanás (Mc 3.20-27).

Em outras palavras, Jesus amarrou o diabo dois mil anos atrás, através de seu ministério, de sua morte na cruz e de sua ressurreição. "Amarrar o diabo" significa que Jesus limitou-lhe o poder, de tal forma que, mesmo ainda ativo no mundo, Satanás já não é capaz de enganar as nações e impedir o avanço do evangelho.

Partindo de uma interpretação equivocada das palavras de Jesus, os líderes da batalha espiritual "amarram" demônios nos cultos, dirigindo-se a eles nas orações e pronunciando a expressão "está amarrado" ou "eu te amarro em nome de Jesus". Imaginam que assim libertam as pessoas da opressão, possessão ou demonização maligna.

É evidente que não há base bíblica para isso. Não faz o

menor sentido os cristãos amarrarem demônios em nossos dias, através da oração, pois isso já foi feito cabalmente pelo nosso Senhor e Salvador. O que podemos fazer é, mediante a pregação do evangelho, libertar as pessoas escravizadas pelo diabo. É o evangelho que traz a libertação definitiva. Pessoas libertas de demônios, mas que não se convertem, tornarão a ser oprimidas e possessas (Lc 11.24-26).

Em suma, é evidente que estamos numa guerra espiritual contra Satanás e seus demônios. Contudo, nossas orações não devem ser vistas como armas ou estratégias espirituais para combater frontalmente esses seres malignos. Em vez disso, elas são o meio de nos achegarmos ao Senhor Jesus, que já venceu as hostes do mal e que pode nos socorrer e nos livrar das tentações, como ele mesmo nos ensinou na Oração do Pai-Nosso: "E não nos deixes cair em tentação, mas livra-nos do mal" (Mt 6.13).

Precisamos estar alertas para não cair no misticismo e na superstição que dominam o meio evangélico hoje. Procuremos sempre embasar biblicamente nossas práticas espirituais, em especial as orações.

Para refletir

1. Você está consciente do conflito espiritual existente ao seu redor?
2. Ora intensamente para que Deus o livre das tentações e dos ataques dos espíritos maus que o cercam e o assediam diariamente?
3. Confia que o Senhor Jesus tem autoridade sobre os demônios e que não permitirá que o maligno o toque?

14
A oração de fé

Escrevendo aos cristãos espalhados pelo império romano, Tiago, o irmão do Senhor Jesus, ao chegar ao final de sua carta, faz recomendações quanto àqueles que haviam adoecido:

> Alguém está doente? Chame os presbíteros da igreja para que venham e orem sobre ele e o unjam com óleo, em nome do Senhor. Essa oração de fé curará o enfermo, e o Senhor o restabelecerá. E, se cometeu algum pecado, será perdoado.
>
> Tiago 5.14-15

Tiago faz menção ao que ele mesmo chama de "oração da fé" (5.15). Ela trará a cura para aquele que está doente. Em algumas traduções aparece o verbo "salvar", em vez de curar, usado no Novo Testamento no sentido de salvar alguém de uma enfermidade (Mc 5.34; 10.52).

O que é, então, essa oração de fé, que pode levantar os enfermos? Quem pode orar dessa forma? Podemos ter essa fé sempre que quisermos? Se orarmos por um doente e ele não se curar, terá sido por falta de fé?

Ao mencionar a oração de fé, Tiago não parece estar se referindo às orações em geral, uma vez que todas exigem fé. A expressão "oração de fé" designa um tipo específico de oração. Note que Tiago usa o pronome demonstrativo "*essa* oração de fé", o que mostra tratar-se de um tipo específico de oração, de conhecimento de seus leitores, cuja principal característica é que seja feita com fé ("oração feita com fé", traduz a NVI).

Mas, uma vez que toda oração, para que assim seja considerada, tem de ser feita com fé, é lícito perguntar a que tipo de fé Tiago está se referindo. A oração pressupõe a crença de que Deus existe e recompensa aqueles que o buscam. A fé é a certeza das coisas que se esperam e a convicção de fatos que não se veem, conforme o autor de Hebreus (Hb 11.1,6). Martin Lloyd-Jones escreveu: "Em muitos aspectos a oração é a suprema expressão da nossa fé e nossa confiança nas promessas de Deus. Não há nada que o homem faça que proclame tanto a sua fé como quando dobra os joelhos e olha para Deus e fala com Deus. É uma tremenda confissão de fé".[11]

Todavia, mesmo que oremos crendo que Deus é real e responde a nossos pedidos, é notório que, tanto na história bíblica quanto na história da igreja, muitos homens e mulheres de fé tiveram seus pedidos negados. A fé a que Tiago se refere, portanto, parece ser aquela absoluta certeza de que Deus ouviu a oração e dará resposta ali, naquele momento. Logo, não se trata nem da fé salvadora em Jesus Cristo, nem da fé que temos de que Deus cuidará de nós, cumprirá todas as suas promessas e fará tudo cooperar para o nosso bem. Esses tipos de fé são bem gerais, e todos os crentes em Cristo os possuem.

Os presbíteros, chamados para orar pelo doente (Tg 5.14), certamente criam que Deus não somente ouve as orações como também é poderoso para atendê-las. Contudo, isso não significa que eles estavam seguros e certos de que Deus curaria o doente ali, naquele momento, de maneira direta e miraculosa, numa manifestação sobrenatural de seu poder. Deus poderia curar o doente mais tarde, por meio do uso de remédios.

---

[11] *Salvos desde a eternidade: Certeza espiritual*, vol. 1 (São Paulo: PES, 2005), p. 34.

Mas, se entre eles houvesse um presbítero cuja fé fosse de que Deus curaria o doente ali, naquela hora, a cura haveria de acontecer. Deus levantaria o enfermo naquele momento. Um exemplo é a oração de Elias pelo filho morto da viúva de Sarepta (1Rs 17.20-22). Outro é a oração de Pedro por Dorcas, que também estava morta (At 9.40).

O tipo de fé a que Tiago se refere, contudo, não pode ser produzido pelo próprio cristão, embora muitos evangélicos pensem o contrário. Essa fé é concedida por Deus, quando ele deseja atender imediatamente o pedido que está sendo feito. No caso referido por Tiago, a "oração de fé" será aquela feita por um ou mais presbíteros, a quem Deus conceda a fé necessária para a plena certeza de que o doente será curado imediatamente. E, de fato, conforme Tiago promete, tal oração salvará o enfermo, isto é, curará o doente.

Assim, é perfeitamente possível que presbíteros unjam o doente com óleo e orem por ele, sem que haja salvação da doença. Nem sempre se pode dizer que o motivo é a incredulidade dos presbíteros ou do doente. Trata-se simplesmente do fato de que Deus, em seus propósitos insondáveis, não lhes concedeu a fé necessária para obtenção da cura ali, de imediato. É por isso que Tiago credita a cura, se ela vier a ocorrer, não à unção com óleo nem à oração em si, mas ao Senhor: "e o Senhor o restabelecerá" (5.15).

É preciso deixar bem claro que todos os cristãos têm de ter fé em Deus, do contrário não teriam como agradá-lo (Hb 11.6), e nem mesmo cristãos poderiam ser. Contudo, a "oração de fé" é algo concedido por Deus, soberanamente, a quem ele deseja.

O que temos aqui, provavelmente, é aquela fé mencionada por Paulo em 1Coríntios: "se tivesse uma fé que me permitisse mover montanhas" (1Co 13.2), que ele considera um dom do

Espírito: "A um o Espírito dá a capacidade de oferecer conselhos sábios, a outro o mesmo Espírito dá uma mensagem de conhecimento especial. A um o mesmo Espírito dá grande fé" (1Co 12.8-9).

Trata-se, consequentemente, de uma fé que é dada por Deus e que, portanto, não é produzida pelo ser humano. Tiago já a havia mencionado ao instruir seus leitores a orarem por sabedoria: "Mas, quando pedirem, façam-no com fé, sem vacilar, pois aquele que duvida é como a onda do mar, empurrada e agitada pelo vento. Ele não deve esperar receber coisa alguma do Senhor" (Tg 1.6-7).

Provavelmente foi a esse tipo de fé que o Senhor Jesus se referiu diversas vezes ao falar sobre oração: se pedirmos com fé obteremos tudo que desejarmos (ver Mt 9.22; 17.20; 21.21-22). Se não fizermos essa distinção, estaremos sujeitos a pensar que toda vez que nossas orações forem recusadas o motivo terá sido a incredulidade. Embora isso seja possível, é claro que, por vezes, nossos pedidos não são atendidos pelo simples fato de que a vontade de Deus difere da nossa. Pessoas cheias de fé, como Jesus e Paulo, tiveram seus pedidos negados por Deus, e não foi por falta de fé (ver Mc 14.36; 2Co 12.7-9; cp. com 1Jo 5.14).

O fato é que a expressão "oração de fé" mencionada por Tiago tem sido usada, erroneamente, por muitos para se referir à oração feita pelos pastores e líderes das igrejas de libertação e da teologia da prosperidade. Esses líderes realizam cultos e reuniões com a promessa de fazer a "oração de fé" em favor dos presentes, e em geral sob alguma condição, como participar de campanhas e propósitos que visam a arrecadar ofertas, obter cura, libertação de males e prosperidade financeira, por exemplo.

Alguns desse líderes vão além ao ensinar como seus seguidores podem fazer, por si mesmos, a "oração de fé". Os passos mencionados costumam ser os seguintes: 1) declarar o que você deseja; 2) crer que acontecerá, seja sua cura, prosperidade financeira ou qualquer outra coisa; 3) receber imediatamente pela fé o que pediu, mesmo que, na prática, ainda não tenha recebido; você o faz visualizando-se curado, casado com a pessoa que está pedindo ou próspero, com as riquezas desejadas; 4) agir como se já tivesse recebido seu pedido. Então é só pedir ao Espírito Santo que lhe mostre o que fazer (e talvez ele o oriente a fazer uma doação em dinheiro ou mesmo de uma propriedade ao ministério em questão).

Há vários erros nessa abordagem à "oração de fé". Em primeiro lugar, a "oração de fé" não pode ser produzida pelos próprios crentes. Talvez possamos ilustrar esse ponto com o relato da cura do coxo na entrada do templo (At 3.1-8). De acordo com o livro de Atos, um coxo jazia naquele lugar havia tempo e era conhecido por todos que por ali passavam para fazer suas orações. Pedro e João, antes e depois do Pentecostes, costumavam ir três vezes ao dia ao templo para orar (Lc 24.53). Eles já haviam passado por aquele homem coxo diversas vezes, mas foi somente naquele dia, quando o coxo lhes pediu uma esmola, que Pedro sentiu ter a fé necessária para curá-lo. E, em nome de Jesus, restaurou-lhe a saúde.

Talvez seja por isso, pelo fato de que não sabiam quando curariam, que os apóstolos nunca marcaram reuniões de cura, nem fizeram esse tipo de promessa a ninguém. Simplesmente dependiam da vontade soberana de Deus, que lhes concedia a fé necessária para efetuar milagres e curas. Em outra ocasião, Paulo percebeu que um aleijado tinha essa fé para ser curado, e curou-o em nome de Jesus (At 14.9). Em todos esses casos, vemos que a fé curadora é algo "dado" por Deus, quando lhe apraz.

Em segundo lugar, a "oração de fé" era exercitada na casa do doente. De acordo com o relato de Tiago, uma pessoa doente podia chamar os presbíteros a fim de que orassem por ela em sua casa. Esse detalhe é muito importante porque mostra que esse tipo de oração não era costumeiramente feito em cultos e reuniões dos cristãos, cujo intuito era proclamarem sua fé, ouvirem o ensino da Palavra e celebrarem os sacramentos.

Nada nos impede de orar pelos doentes em nossos cultos, mas no caso mencionado por Tiago a pessoa está tão doente a ponto de não poder se deslocar até a igreja. É em sua casa, ao redor de sua cama, que os presbíteros se unem em oração por ele. Quão diferente dos cultos de cura e prosperidade marcados com antecedência nas igrejas atuais!

Então, podemos fazer a "oração de fé" hoje?

Não temos nenhuma evidência de que existam hoje pessoas como os apóstolos de Cristo, que tinham o dom de curar e a quem Deus regularmente concedia a fé necessária até mesmo para levantar mortos. Entretanto, não há nenhum impedimento bíblico para que nosso soberano Deus conceda essa fé extraordinária a alguém, em momentos de grande necessidade. Ele continua concedendo essa fé sobrenatural aos filhos cujas orações deseja atender.

Todos os crentes verdadeiros têm fé suficiente para crer que Deus existe, ouve as orações e pode responder a cada uma delas. Mas nem todos recebem a fé suficiente para crer que Deus responderá ali, na hora, a seus pedidos, especialmente os pedidos de cura.

Em termos práticos, se alguém adoecer e desejar que os presbíteros orem por ele, poderá fazer essa solicitação. Caso seja da vontade de Deus, algum dos presbíteros oferecerá a oração de fé, e veremos um milagre acontecer. Podemos e devemos orar pela cura de nossas enfermidades e das enfermidades de outras pessoas, crendo no poder de nosso Deus e em seu amor pelos aflitos e necessitados. Mas lembremos que nem sempre ele deseja nos curar, por motivos que só a ele pertencem. Qualquer que seja a vontade de Deus, continuaremos crendo em sua misericórdia e retidão.

Para refletir

1. Você costuma orar pela cura de suas doenças quando em tratamento? Crê que Deus pode curá-lo?
2. Já teve a experiência de ser atendido por Deus imediatamente, de forma sobrenatural e direta?

15
As promessas de Deus

Talvez a razão primordial por que oramos seja simplesmente que Deus prometeu nos responder. É nas promessas de Deus que nos apoiamos para orar. Porque ele prometeu nos ouvir e responder é que temos ousadia e coragem para falar com ele e, como um filho a seu pai, colocar-lhe nossos pedidos, na certeza de que seremos atendidos.

Não raro, porém, desanimamos de orar, sobretudo quando parece que Deus não nos escuta. Embora tenhamos as firmes promessas, registradas nas Escrituras, de que Deus ouve e atende aqueles que lhe pertencem, não significa que responderá a nossas orações exatamente como desejamos. Ainda assim, podemos crer que Deus com certeza ouvirá tudo que lhe pedirmos. Em sua sabedoria suprema e em seu amor misericordioso, ele sempre dará o que é melhor para nós.

Examinemos, então, não somente as promessas, mas também o encorajamento que Deus nos dá para que sempre o busquemos mediante a oração. Comecemos com o fato de que o próprio Deus nos exorta a ir até ele em oração e apresentar-lhe nossas necessidades. Esse fato, por si só, já é um indicativo da disposição de nosso Pai de atender nossas orações.

Ao profeta Jeremias, Deus disse: "Chame por mim e eu responderei; eu lhe anunciarei coisas grandes e ocultas, que você não conhece" (Jr 33.3, NAA). O profeta Isaías, escrevendo ao povo de Deus, encorajou uma geração desobediente com esta promessa: "Busquem o Senhor enquanto podem achá-lo;

invoquem-no agora, enquanto ele está perto" (Is 55.6). Falando por intermédio do profeta Amós, o Senhor exortou os israelitas rebeldes a buscá-lo enquanto ainda se podia evitar o castigo iminente: "Busquem-me e vivam!" (Am 5.4,6).

O Senhor Jesus, por sua vez, encorajou os discípulos a orar com as seguintes promessas: "Peçam, e receberão. Procurem, e encontrarão. Batam, e a porta lhes será aberta. [...] Portanto, se vocês, que são maus, sabem dar bons presentes a seus filhos, quanto mais seu Pai, que está no céu, dará bons presentes aos que lhe pedirem!" (Mt 7.7-11). E o próprio Jesus afirmou a seus discípulos: "Venham a mim todos vocês que estão cansados e sobrecarregados, e eu lhes darei descanso" (Mt 11.28).

São muitos, portanto, os convites à oração que Deus nos faz nas Escrituras. Mas, além de tais convites, contamos também com inúmeras promessas de que ele ouvirá aqueles que o buscam em oração. O Senhor prometeu ouvir os aflitos e necessitados que clamarem a ele, especialmente os estrangeiros, as viúvas e os órfãos que habitassem no meio dos israelitas, caso fossem de algum modo maltratados (Êx 22.23). Prometeu ao povo de Israel que ouviria todos os que, de coração inteiro, se aproximassem dele: "Se me buscarem de todo o coração, me encontrarão. Serei encontrado por vocês" (Jr 29.13-14). Deus não desampara os que o buscam (Sl 9.10).

Em especial, o Senhor promete ouvir aqueles que se arrependem e se humilham diante dele, conforme disse a Salomão: "... se meu povo, que se chama pelo meu nome, humilhar-se e orar, buscar minha presença e afastar-se de seus maus caminhos, eu os ouvirei dos céus, perdoarei seus pecados e restaurarei sua terra" (2Cr 7.14; ver Sl 10.17).

Após um livramento recebido de Deus, Davi compôs o salmo 34, em que declara: "Os olhos do Senhor estão sobre os justos, e seus ouvidos, abertos para seus clamores. [...] O Senhor ouve os justos quando clamam por socorro; ele os livra de todas as suas angústias" (Sl 34.15,17). Uma das promessas mais conhecidas de que Deus atende orações foi registrada pelo mesmo Davi no salmo 37: "Entregue seu caminho ao Senhor; confie nele, e ele o ajudará" (Sl 37.5). O apóstolo João registra promessa semelhante: "... e dele receberemos tudo que pedirmos, pois lhe obedecemos e fazemos o que lhe agrada" (1Jo 3.22).

Essas são apenas algumas das muitas promessas bíblicas relativas à oração. Estão registradas para incentivar o povo de Deus a buscar o Senhor em suas necessidades. Dispondo, portanto, de tantas promessas, é inconcebível que o cristão passe dias e dias sem orar e sem clamar ao Senhor. Infelizmente, não são poucos os que esfriaram em seu amor e em sua fé, endurecendo o coração para não crer nessas promessas maravilhosas, nem se apropriar delas.

Orar é um ato de fé, e não de sentimento. Ainda que, com frequência, não sintamos muitas coisas quando oramos, convém ter em mente que a oração se sustenta nas promessas de Deus, e não nos sentimentos de nossa natureza instável.

Também é verdade que as promessas bíblicas de que Deus responde a orações não se destinam a toda a humanidade. Elas se destinam ao povo de Deus. A base para tais promessas é a aliança de Deus com seu povo eleito.

Não significa, porém, que Deus não possa atender súplicas de não convertidos. Em sua grande misericórdia, o Senhor se compadece dos seres humanos, inclusive daqueles que não o conhecem mediante Jesus Cristo, e os socorre em momentos de angústia, como, por exemplo, os marinheiros que estavam prestes a naufragar na tempestade que sobreveio por causa de Jonas e que clamaram ao Deus do profeta (Jn 1.13-16).

Entretanto, somente aqueles que pertencem ao povo de Deus podem desfrutar da plena certeza de que suas orações sempre serão ouvidas e bem recebidas pelo Criador do universo. Foi o que Deus disse a Moisés, quando o comissionou a ir ao Egito para libertar seu povo: "Esteja certo de que ouvi os gemidos dos israelitas [...] e me lembrei da aliança que fiz com eles" (Êx 6.5). Mais adiante, o Senhor deixou isso bem claro a Moisés, quando o povo estava prestes a entrar na terra prometida:

> De lá, porém, vocês buscarão o Senhor, seu Deus, outra vez. E, se o buscarem de todo o coração e de toda a alma, o encontrarão. No futuro distante, quando estiverem sofrendo todas essas coisas, finalmente voltarão para o Senhor, seu Deus, e ouvirão o que ele lhes diz. Pois o Senhor, seu Deus, é Deus misericordioso; não os abandonará nem os destruirá, nem se esquecerá da aliança solene que fez com seus antepassados.
>
> Deuteronômio 4.29-31

A igreja de Cristo é o povo com quem Deus mantém essa aliança, que foi ratificada no sangue do Senhor Jesus (Lc 22.20; 1Co 11.25). Deus é nosso Deus. Ele firmou um pacto conosco, pelo qual promete nos abençoar tanto aqui quanto eternamente, mediante o sangue de Jesus.

A mediação do Senhor Jesus nessa aliança é o que permite a nossas orações chegarem ao Pai. O Senhor Jesus exortou seus discípulos a pedirem a Deus em seu nome: "Vocês podem pedir qualquer coisa em meu nome, e eu o farei [...]. Sim, peçam qualquer coisa em meu nome, e eu o farei!" (Jo 14.13-14). Não somente o nosso Senhor, mas o Pai igualmente atenderia as orações feitas em nome de Jesus: "Eu lhes digo a verdade: vocês pedirão diretamente ao Pai e ele atenderá, porque pediram em meu nome. [...] Peçam em meu nome e receberão, e terão alegria completa" (Jo 16.23-24). Por fim, o apóstolo Paulo disse: "Agora, por causa do que Cristo fez, todos temos acesso ao Pai" (Ef 2.18).

Além de registrar as promessas de que Deus nos atenderá, as Escrituras nos incentivam a orar com base na natureza do ser de Deus. Ele é o Deus que escuta orações, por isso devemos ir a ele (Sl 65.2). Ele pode fazer muito mais do que pedimos ou pensamos, e é por isso que devemos nos achegar a ele confiantemente (Ef 3.20). Ele é o Deus libertador, que nos livrou da escravidão, e portanto podemos abrir a boca certos de que ele a encherá das coisas boas de que precisamos (Sl 81.10). Davi tinha convicção de que Deus era bom, perdoador e rico em misericórdia, por isso pedia-lhe que escutasse sua oração (Sl 86.5-6). Ele é onisciente, sabedor de todas as coisas, inclusive das futuras, e portanto podemos dirigir-nos a ele em oração com tranquilidade, na certeza de que, antes mesmo de pedirmos, ele já sabe do que precisamos (Is 65.24; Mt 6.8).

Encontramos também incentivo para orar nas promessas de que nosso Deus nos atenderá mediante algumas condições, tais como orarmos juntos e concordes (Mt 18.19-20), orarmos com fé (Mt 21.22), perseverarmos em oração (Lc 11.5-8; 18.1-8) e pedirmos de acordo com sua vontade (1Jo 5.14-15).

Não bastassem todos esses incentivos, nosso Deus ainda enviou o Espírito para nos socorrer nas orações e interceder por nós (Rm 8.26), além da intercessão constante de nosso Senhor Jesus Cristo em nosso favor (Hb 4.15-16). Quantas razões, encorajamentos e motivos temos para orar sem cessar!

Por último, vejamos alguns dos muitos exemplos de orações respondidas que a Bíblia nos traz. Se Deus os atendeu, por que não nos atenderia, uma vez que compartilhamos da mesma fé?

Abraão orou por Abimeleque e seu povo, e Deus os curou (Gn 20.17). Isaque orou durante vinte anos para que sua mulher Rebeca, que era estéril, tivesse um filho, e Deus lhes deu Jacó e Esaú (Gn 25.20-21,26). Moisés orou diante do mar Vermelho, e Deus o abriu (Êx 14.15-16). Moisés orou em Horebe, e saiu água da rocha (Êx 17.4-6).

Os israelitas gemiam sob o faraó e clamaram a Deus, que lhes enviou Moisés (Êx 2.23-25). Mais tarde, quando sofriam a opressão de povos inimigos na terra prometida, clamaram a Deus, e ele lhes levantou juízes que os libertaram (Jz 3.9,15; 4.3,23-24). Ana orou por um filho e Deus lhe deu Samuel (1Sm 1.10-17).

O rei Ezequias orou diante da invasão de Senaqueribe, e Deus o livrou poderosamente (2Re 19.14-20). Daniel orou para interpretar o sonho de Nabucodonosor, e Deus lhe revelou o mistério (Dn 2.19-23). O sacerdote Zacarias orou por um filho, e Deus lhe deu João Batista (Lc 1.13). A igreja orou por Pedro, que estava preso, e Deus o libertou miraculosamente (At 12.5-17).

Talvez pensemos que tenha se tratado de casos excepcionais, de pessoas dotadas de muita fé e santidade, crentes superiores a nós. Contudo, Tiago nos assegura que Elias, que pela oração fechou e abriu os céus para a chuva, "era humano como nós" (Tg 5.17-18).

Muito provavelmente nossos pedidos não sejam tão graves, grandes e urgentes como alguns dos exemplos acima, mas o Deus que abriu o mar é o mesmo Deus que abre as portas para um emprego. Confiantes em suas promessas, oremos sempre e por todas as coisas!

Para refletir

1. As promessas de Deus encorajam você a orar diariamente?
2. Qual é sua reação diante de tantos exemplos de orações respondidas na Bíblia?
3. Qual é seu conceito de Deus? A seu ver, ele se preocupa com você e com suas necessidades?

16
Orações imprecatórias

Os leitores da Bíblia certamente já notaram que há no Antigo Testamento orações que pedem a destruição dos inimigos em termos radicais. Essas orações, em sua grande maioria, se encontram no livro de Salmos e são conhecidas como orações imprecatórias. O que significam tais orações? Podemos orar dessa maneira nos dias de hoje?

Imprecar é invocar sobre alguém o castigo de Deus. É amaldiçoar aquela pessoa e desejar que o juízo de Deus lhe sobrevenha. Oração imprecatória é aquela em que pedimos a Deus que isso aconteça. Com certeza não é a mesma coisa que rogar uma praga sobre alguém, como se houvesse nisso algum poder místico de causar dano ao outro.

Na oração imprecatória, o crente temente a Deus pede que Deus castigue os inimigos, destrua os ímpios e faça vir sobre eles a justa punição por suas ações.

Como já dissemos, é nos Salmos que encontramos um grande número de orações imprecatórias. Uma vez que os salmos são recebidos pelos cristãos como Palavra de Deus inspirada, são cantados nas igrejas e servem como fonte de inspiração, surge a pergunta: podemos orar como fizeram os crentes do Antigo Testamento, com orações imprecatórias sobre nossos inimigos? Podemos usar a linguagem desses salmos em nossos dias?

Eis alguns exemplos de orações imprecatórias extraídas dos salmos.

Quebra os dentes dos perversos, ó Deus!
Despedaça, Senhor, a mandíbula desses leões!
Que desapareçam como água em terra sedenta,
que se tornem inúteis as armas em suas mãos.
Que sejam como a lesma que se desmancha em lodo,
como a criança que nasce morta e nunca verá o sol.

Salmos 58.6-8

Que a mesa farta diante deles se transforme em laço,
e que sua prosperidade se torne armadilha.
Que seus olhos se escureçam para que não vejam,
e que seu corpo trema sem parar.
Derrama tua fúria sobre eles,
consome-os com o ardor de tua ira.
Que as casas deles fiquem desoladas,
e que não reste ninguém em suas tendas. [...]
Apaga o nome deles do Livro da Vida;
não deixes que sejam incluídos entre os justos.

Salmos 69.22-25,28

Que seus filhos se tornem órfãos,
e sua esposa, viúva.
Que seus filhos andem sem rumo, como mendigos,
e sejam expulsos de suas casas em ruínas. [...]
Que todos os seus descendentes morram;
que o nome de sua família seja apagado na geração seguinte.

Salmos 109.9-10,13

Ó Babilônia, você será destruída;
feliz é aquele que lhe retribuir por tudo que fez contra nós.
Feliz aquele que pegar suas crianças
e as esmagar contra a rocha.

Salmos 137.8-9

Ó Deus, quem dera destruísses os perversos;
    afastem-se de mim, assassinos!
Eles blasfemam contra ti;
    teus inimigos usam teu nome em vão.
Acaso, S͟e͟n͟h͟o͟r, não devo odiar os que te odeiam?
Não devo desprezar os que se opõem a ti?
Sim, eu os odeio com todas as minhas forças,
    pois teus inimigos são meus inimigos.

Salmos 139.19-22

Existem diversos outros salmos nos quais aparecem orações semelhantes (ver, p. ex., os salmos 5, 17, 28, 35, 40, 55, 59, 70, 71, 74, 79, 80, 94, 129, 140). Nessas orações, os salmistas declaram seu ódio contra os inimigos do povo de Deus e o desejo intenso de que estes sejam severamente castigados pelo Senhor. Por causa da riqueza dos verbos hebraicos, algumas versões traduzem esses desejos no tempo futuro ou então como já tendo sido realizados. No final, o resultado é o mesmo.

É inegável que as orações imprecatórias soem estranhas aos cristãos. Aliás, parecem contradizer o próprio ensino do Antigo Testamento. Em Provérbios, por exemplo, é dito que devemos dar comida e bebida a nossos inimigos que estiverem passando necessidade (Pv 25.21-22). E, na lei, Moisés ensinou: "Não alimentem ódio no coração contra algum de seus parentes. [...]. Não procurem se vingar nem guardem rancor de alguém do seu povo, mas cada um ame o seu próximo como a si mesmo" (Lv 19.17-18).

Jesus, por sua vez, ordenou que amássemos nossos inimigos e os tratássemos com compaixão. Mandou que orássemos pelos que nos perseguem (Mt 5.44), que fizéssemos o bem aos que nos odeiam, que falássemos bem dos que falam mal de nós e que orássemos pelos que mentem a nosso respeito (Lc 6.27-28). Ensinou, ainda, que deveríamos dar o outro lado aos que nos batessem no rosto (Lc 6.29).

Ele próprio nos deu o exemplo supremo quando, na cruz, pediu que o Pai perdoasse aqueles que o estavam crucificando: "Pai, perdoa-lhes, porque não sabem o que fazem" (Lc 23.34). Estevão, o primeiro mártir cristão, ao ser apedrejado pelos judeus, orou de maneira semelhante: "Senhor, não os culpes por este pecado!" (At 7.60).

A igreja foi orientada a orar pelas autoridades. Os primeiros cristãos viviam sob a autoridade do império romano, que começava a demonstrar hostilidade contra os seguidores de Jesus Cristo. Ainda assim, o apóstolo Paulo, escrevendo aos cristãos da capital do império, Roma, onde morava Nero, os orientou a respeitar as autoridades constituídas, o que incluía o cruel imperador (Rm 13.1). Assim também, orientou os crentes de Éfeso a orar pelas autoridades (1Tm 2.1-4).

Diante desses ensinos e dos exemplos que se seguiram, é fácil entender por que os cristãos têm dificuldade com as orações imprecatórias. É perfeitamente legítima a pergunta: tais orações podem ser feitas hoje? Por que, afinal, existem orações imprecatórias na Bíblia?

Alguns estudiosos consideram que as orações imprecatórias do Antigo Testamento são expressões carnais de homens imperfeitos que acabaram sendo registradas na Bíblia, mas que não servem de exemplo para os cristãos. Outros consideram esse tipo de oração algo próprio do período da lei mosaica, mas que não cabe no tempo da graça, do Novo Testamento. Contudo, essas duas explicações não somente questionam a inspiração da Bíblia como também quebram a continuidade entre os Testamentos.

Surpreendentemente, encontramos exemplos de imprecações também no Novo Testamento. Em certa ocasião, o apóstolo Paulo, ao ser esbofeteado na boca a mando do sumo sacerdote, diante de quem estava se defendendo, invocou sobre ele o castigo de Deus, dizendo: "Deus o ferirá, seu grande hipócrita! Que espécie de juiz é o senhor, desrespeitando a lei ao mandar me agredir dessa forma?" (At 23.3).

Os autores do Novo Testamento citam vários dos salmos imprecatórios (ver Ap 2.23; Rm 11.9-10). Pedro usou passagens de dois salmos imprecatórios para justificar o castigo de Judas (At 1.20, citando Sl 69.25 e 109.8).

Seguem, então, algumas possíveis explicações para as orações imprecatórias na Bíblia.

Em primeiro lugar, as imprecações bíblicas nunca são contra inimigos pessoais, mas contra os inimigos de Deus e de sua igreja. Não se trata de vingança pessoal, mas do desejo de ver os inimigos de Deus destruídos.

Segundo, as imprecações antecipam o juízo final de Deus, quando ele julgará e castigará severamente os inimigos de seu povo. No momento, os inimigos de Deus parecem desfrutar de liberdade e impunidade. Os justos anseiam por justiça, em virtude do zelo que têm pelo nome de Deus. As imprecações refletem o anseio pelo dia do juízo e pelo estabelecimento da justiça.

Terceiro, várias imprecações que parecem demasiadamente violentas, como esmagar a cabeça das crianças babilônicas nas rochas, refletem simplesmente aquilo que os babilônicos tinham feito com as crianças israelitas quando invadiram a Palestina (Sl 137.7-9). Os justos desejaram que eles fossem castigados na mesma medida em que cometeram suas maldades.

Quarto, o desejo de justiça condiz com o que a Bíblia nos ensina. A oração de Jeremias por vingança contra os que o perseguiam por causa da palavra do Senhor recebeu resposta afirmativa direta de Deus (Jr 11.21-23). Jesus contou uma parábola segundo a qual o apelo dos justos por justiça será respondido rapidamente (Lc 18.1-8). Lemos no livro de Apocalipse que João viu aqueles que morreram por causa do testemunho a respeito de Jesus, e que eles estavam clamando na presença de Deus: "Ó Soberano Senhor, santo e verdadeiro, quanto tempo passará até que julgues os habitantes da terra e vingues nosso sangue?" (Ap 6.10), e foram ouvidos.

Por último, lembremos que para os autores bíblicos não há distinção entre pecado e pecador. Eles desejam com todas as forças de seu coração que o pecado seja destruído, o que inclui aqueles que vivem na prática dele.

E quanto a nós? Os cristãos podem orar de maneira imprecatória contra seus inimigos?

Cremos que podem existir situações em que os cristãos devem elevar clamores a Deus pedindo que ele destrua os inimigos de sua igreja, aqueles que de maneira aberta e violenta buscam acabar com o povo de Deus aqui neste mundo. É lícito orar para que Deus derrube aqueles que se opõem à pregação da Palavra de Deus e que perseguem e matam os servos de Jesus Cristo.

Porém, é preciso cuidar para não confundir isso com o desejo pessoal de vingança para com aqueles que nos maltratam individualmente. A estes o Senhor Jesus nos ensinou a amar e fazer o bem, apesar de todo mal que nos fazem.

Deus também pode responder a nossas imprecações convertendo o coração dos inimigos de sua igreja, como fez com Saulo de Tarso, o grande perseguidor dos cristãos no primeiro século.

E não nos esqueçamos de que o Senhor Jesus Cristo levou sobre si nossas maldições e todas as imprecações dirigidas a nós pela justiça de Deus. Não fosse a morte dele em nosso lugar, nós é que estaríamos debaixo das imprecações da justiça divina, amaldiçoados e destinados ao castigo eterno (ver Gl 3.10-14).

Como, então, devemos orar pelos que nos perseguem?

Devemos ter sempre em mente que nossa luta não é contra carne ou sangue, e sim contra principados e potestades, contra os dominadores deste mundo tenebroso, contra as hostes espirituais do mal. Em outras palavras, nossa luta é contra Satanás e os demônios. Portanto, devemos orar para que nosso Deus triunfe de modo final e definitivo sobre as hostes do mal. Nossos inimigos são instrumentos nas mãos desses poderes malignos. Oremos para que sejam libertados e convertidos.

No que pudermos, façamos o bem a todos os que nos perseguem e evitemos falar mal deles (especialmente, hoje em dia, nas redes sociais). Oremos sem cessar por aqueles que nos querem mal.

Para refletir

1. Você deseja ardentemente ver a justiça de Deus enfim triunfar neste mundo?
2. Ora pelas pessoas que o maltratam e perseguem?
3. Seria capaz de orar a Deus para que destruísse governantes ímpios que perseguem e maltratam o povo de Deus?

17
Por que Deus às vezes diz "não"

Estamos chegando ao final de nossos estudos sobre a oração. Não poderíamos terminar sem abordar um assunto já mencionado algumas vezes ao longo dos capítulos anteriores. Trata-se das negativas que, com alguma frequência, recebemos da parte de Deus, isto é, pedidos que não são atendidos como gostaríamos.

Vimos anteriormente que existem promessas, do próprio Deus, de que atenderia seus filhos quando clamássemos a ele. Entretanto, permanece o fato de que nem sempre recebemos resposta a nossas orações, pelo menos não a resposta que desejávamos. Uma vez que nosso Deus é fiel, devemos buscar a causa para o "não" em outros fatores, e não em alguma deficiência dele. Com isso, ao entender as negativas de Deus, poderemos crescer em nossa vida de oração.

Existem vários fatores pelos quais podemos concluir que o Senhor não nos concederá aquilo que pedimos. Em primeiro lugar, quando ocorre exatamente o oposto, ou então algo muito diferente, daquilo que queríamos. Segundo, quando o tempo passa e não percebemos coisa alguma que possa ser identificada com uma resposta positiva.

Nesse último caso, nem sempre a demora em obter uma resposta positiva significa um "não" de Deus. Como veremos, às vezes Deus tarda em responder por diferentes motivos. Convém analisarmos aqueles fatores que certamente levam

Deus a negar-nos o que pedimos, para verificar se a demora na resposta não se deve a eles.

Se o tempo passou e você não recebeu resposta positiva da parte de Deus, verifique se a causa não está entre aquelas que examinaremos em seguida. Se, após analisar honestamente seu coração, você verificar que não incorreu em nenhuma dessas causas, é possível que a demora se deva a outros fatores, que veremos mais à frente.

Por ora, examinemos três razões pelas quais, segundo a Bíblia, Deus deixa de atender as orações que fazemos. Nosso alvo é descobrir se estamos incorrendo em alguns desses erros e, assim, deixando de receber o que pedimos a nosso Senhor.

Motivações erradas. As razões pelas quais fazemos o que fazemos é da maior importância para Deus. A razão final de tudo que fazemos deve ser a glória dele. Assim, quando pedimos determinadas coisas sem que tenhamos essa motivação, estamos, em certo sentido, praticando idolatria. Estamos colocando nossos interesses à frente da glória de Deus.

Tiago apontou como causa de não se receber o que se pede a Deus as motivações egoístas: "E, quando pedem, não recebem, pois seus motivos são errados; pedem apenas o que lhes dará prazer" (Tg 4.3). Aqui, a motivação do pedido era má, errada, ou seja, feita apenas para saciar um prazer. Não é errado pedir a Deus coisas que nos dão prazer e alegria, desde que sejam legítimas e verdadeiras. Entretanto, mesmo coisas legítimas podem se converter em ídolos. Além disso, não poucas vezes pedimos coisas a Deus para satisfazer desejos secretos de vaidade, projeção, prestígio ou mesmo satisfação do ego. Deus, que conhece nosso coração, vê nossos motivos e não atende esses pedidos.

Assim, quando deparamos com orações não respondidas, devemos examinar profundamente nosso coração em busca das motivações: por que desejamos o que estamos pedindo? Por que para mim tal coisa é importante? Qual o motivo maior de pedi-la a Deus? Se assim procedêssemos, ficaríamos surpresos ao descobrir motivações um tanto quanto egoístas por trás de nossas orações.

Falta de fé. Outro fator que acarreta um "não" da parte de Deus é a falta de fé. Nesse contexto, fé é a confiança de que nosso Deus nos ama, é poderoso para atender nosso pedido e soberano para fazê-lo como bem desejar. É a atitude humilde de aceitar qualquer que seja a resposta. A falta de fé nos leva a duvidar, no íntimo de nosso coração, da existência de Deus e de seu interesse em nos ouvir. É um ceticismo profundo da alma quanto às promessas feitas por Deus na Bíblia.

Certa ocasião, os discípulos de Jesus não conseguiram expulsar um demônio, e a causa foi a pequenez de sua fé (Mt 17.19-20). No fundo, não acreditaram que realmente poderiam libertar aquela pessoa. Em contrapartida, em várias ocasiões o Senhor Jesus atendeu o pedido de pessoas que claramente manifestaram fé nele, como o oficial romano que lhe pediu a cura de seu servo (Mt 8.13), os dois cegos que lhe pediram a restauração da visão (Mt 9.29), e a mulher gentia que lhe pediu a cura de sua filhinha (Mt 15.28).

Quando nos parecer que o Senhor não atenderá nosso pedido, sondemos o coração: cremos de fato que ele pode fazer o que pedimos? Confiamos em seu poder e em sua sabedoria? Estamos dispostos a aceitar a resposta, independentemente de qual seja?

Pecados não tratados. Com o propósito de nos levar ao autoexame, arrependimento, confissão e mudança de vida, nosso Deus muitas vezes nos nega nossos pedidos, a fim de nos chamar a atenção para o fato de que há algo errado em nosso relacionamento com ele. Pecados que cometemos e dos quais nunca nos arrependemos — e que, portanto, nunca confessamos a Deus e aos envolvidos — são causa de resposta negativa à oração. Se Deus atendesse as orações de pessoas que vivem na prática do pecado e sem qualquer arrependimento, estaria validando o pecado delas. Por isso a Bíblia diz que Deus detesta o sacrifício dos ímpios (Pv 15.8).

O salmista declara esta verdade: "Se eu não tivesse confessado o pecado em meu coração, o Senhor não teria ouvido" (Sl 66.18). No livro de Provérbios encontramos: "Quem fecha os ouvidos aos clamores dos pobres será ignorado quando passar necessidade" (Pv 21.13). E ainda: "As orações de quem se recusa a ouvir a lei são detestáveis para Deus" (Pv 28.9). Talvez a passagem mais conhecida a esse respeito seja o que Deus disse à nação de Israel através do profeta Isaías:

> Não olharei para vocês quando levantarem as mãos para orar;
> ainda que ofereçam muitas orações, não os ouvirei,
> pois suas mãos estão cobertas de sangue.
> Lavem-se e limpem-se!
> Removam seus pecados de minha vista
> e parem de fazer o mal.
>
> Isaías 1.15-16

Se Deus nos dá uma resposta negativa, devemos proceder a um exame sincero de nossa vida, confessar todo pecado conhecido e abandonar toda prática pecaminosa.

Não significa, porém, que teremos de ser perfeitos moralmente para que Deus nos responda. Se assim fosse nunca teríamos respostas do Senhor. O que Deus requer é que *nos arrependamos e lhe confessemos todos os pecados dos quais temos consciência*. Somente pecados não confessados impedem respostas de oração.

Existem outras razões pelas quais o Senhor nos dá um "não", como quando pedimos o que não convém (Rm 8.26). Também há casos em que Deus repreendeu seus servos que estavam orando quando deveriam estar agindo (Êx 14.15; Js 7.10,13). Em outras situações, Deus até proibiu que se orasse (Jr 7.16). As três razões acima, contudo, são as mais comumente mencionadas na Bíblia para as negativas de Deus.

Agora, se após sondarmos e examinarmos nosso coração, nossas motivações e nossa fé, e não conseguirmos perceber nenhuma das causas relatadas, podemos considerar outras possibilidades.

Deus sabe melhor do que nós aquilo de que realmente precisamos. A realidade que nos cerca é muito complexa. Não podemos prever todas as consequências de nossas escolhas. Deus não nos fez onicientes. Onisciência é um daqueles seus atributos incomunicáveis, isto é, que ele não transferiu para nós como parte de sua imagem e semelhança (Gn 1.27).

Com frequência, pedimos coisas a Deus que, se soubéssemos o que acarretam, certamente nos arrependeríamos de ter pedido. Em sua grande misericórdia, nosso Deus, visando a sua maior glória e nosso bem, não nos atende no que pedimos, pois sabe melhor do que nós do que realmente precisamos. Logo, quando recebemos uma resposta negativa de Deus, levemos sua onisciência em conta, antes de mais nada, e descansemos nessa verdade.

Ele nunca prometeu dar tudo o que pedimos. Já mencionamos o fato de que Deus prometeu atender nossos pedidos. Não podemos nos esquecer, todavia, de que ele também reserva para si a decisão final quanto a tais pedidos. Está subentendido nas promessas que Deus responderá positivamente a nossas orações se elas forem feitas de acordo com sua vontade, pelas razões corretas e por coisas lícitas (1Jo 5.14).

Consequentemente, uma vez que nem sempre atendemos esses requisitos em nossas orações, nosso Pai celeste, em sua sabedoria infinita, nos nega o que solicitamos.

Ele pode ter outros planos para nós. A vontade de Deus pode não ser a nossa. Guardadas as devidas proporções, foi o que ocorreu com o Senhor Jesus. Diante da perspectiva de sua morte na cruz e todo o sofrimento moral, espiritual e físico que haveria de suportar, Jesus orou por três vezes, no Getsêmani, para que aquele cálice passasse dele (Mt 26.39,42,44), e recebeu resposta negativa do Pai, cuja vontade era a morte e o sofrimento de seu Filho para redimir seu povo.

Moisés pediu encarecidamente a Deus que lhe permitisse entrar na terra prometida, mas Deus permitiu tão somente que ele a avistasse à distância (Dt 3.23-27). Os mártires, na glória, queriam que Deus exercesse juízo imediato sobre aqueles que os mataram, mas Deus lhes respondeu que o juízo ainda deveria esperar até que o número de mártires se completasse (Ap 6.9-11).

Ele testa nossa perseverança. Muitas vezes, a demora de Deus em nos atender tem por objetivo estimular-nos a orar mais e com mais intensidade. Foi o que aconteceu com Davi: "Meu Deus, meu Deus, por que me abandonaste? Por que estás tão distante de meus gemidos por socorro? Todos os dias clamo a ti, meu Deus, mas não respondes; todas as noites levanto a voz, mas não encontro alívio" (Sl 22.1-2).

Paulo orou para que Deus lhe tirasse o espinho de sua carne. A princípio, contudo, Deus não lhe respondeu, o que levou o apóstolo a perseverar em busca de uma resposta.

"Em três ocasiões, supliquei ao Senhor que o removesse", escreveu (2Co 12.8). A ênfase aqui reside no fato de que Paulo orou por isso com mais frequência do que costumava fazer. Ao final, Deus lhe concedeu algo diferente, e melhor: a graça para suportar o flagelo (2Co 12.9).

Em resumo, quando parecer que nosso pedido não foi aceito por Deus, podemos seguir estes passos: primeiro, sondar nosso coração e nossa vida em busca de motivações erradas, incredulidade ou pecado não tratado. Se encontrarmos esses resíduos pecaminosos em nosso coração, devemos nos arrepender, confessá-los a Deus e reapresentar os pedidos. Segundo, caso não estejamos conscientes de nenhum desses obstáculos espirituais, devemos continuar orando e aguardar até que Deus nos dê uma resposta clara. Se o tempo passar e nada ocorrer, provavelmente a razão se encontra na sábia e soberana vontade de Deus. Descansemos, então, em sua providência e aceitemos o seu "não" com humildade e confiança.

Para refletir

1. Suas orações são genéricas ou específicas a ponto de conseguir reconhecer quando determinado pedido é atendido ou negado?
2. Tem o hábito de sondar regularmente seu coração, examinar suas palavras e avaliar sua conduta a fim de identificar algo que venha a impedir que suas orações sejam atendidas?

Compartilhe suas impressões de leitura,
mencionando o título da obra, pelo e-mail
opiniao-do-leitor@mundocristao.com.br
ou por nossas redes sociais

Esta obra foi composta com tipografia Palatino
e impressa em papel Pólen Natural 70 g/m² na gráfica Assahi